Yr Allwedd Aur

Eurgain Haf

Gomer

Diolch i Mam a Dad am blentyndod hudolus
wrth droed yr Wyddfa.

Diolch hefyd i Tomos Parry am ddarllen y stori
ac am ei sylwadau.

Cyhoeddwyd gyntaf yn 2010 gan
Wasg Gomer, Llandysul, Ceredigion, SA44 4JL.
www.gomer.co.uk

ISBN 978 1 84851 286 3

Noddwyd gan Lywodraeth Cynulliad Cymru.

Argraffwyd a rhwymwyd yng Nghymru gan
Wasg Gomer, Llandysul, Ceredigion.

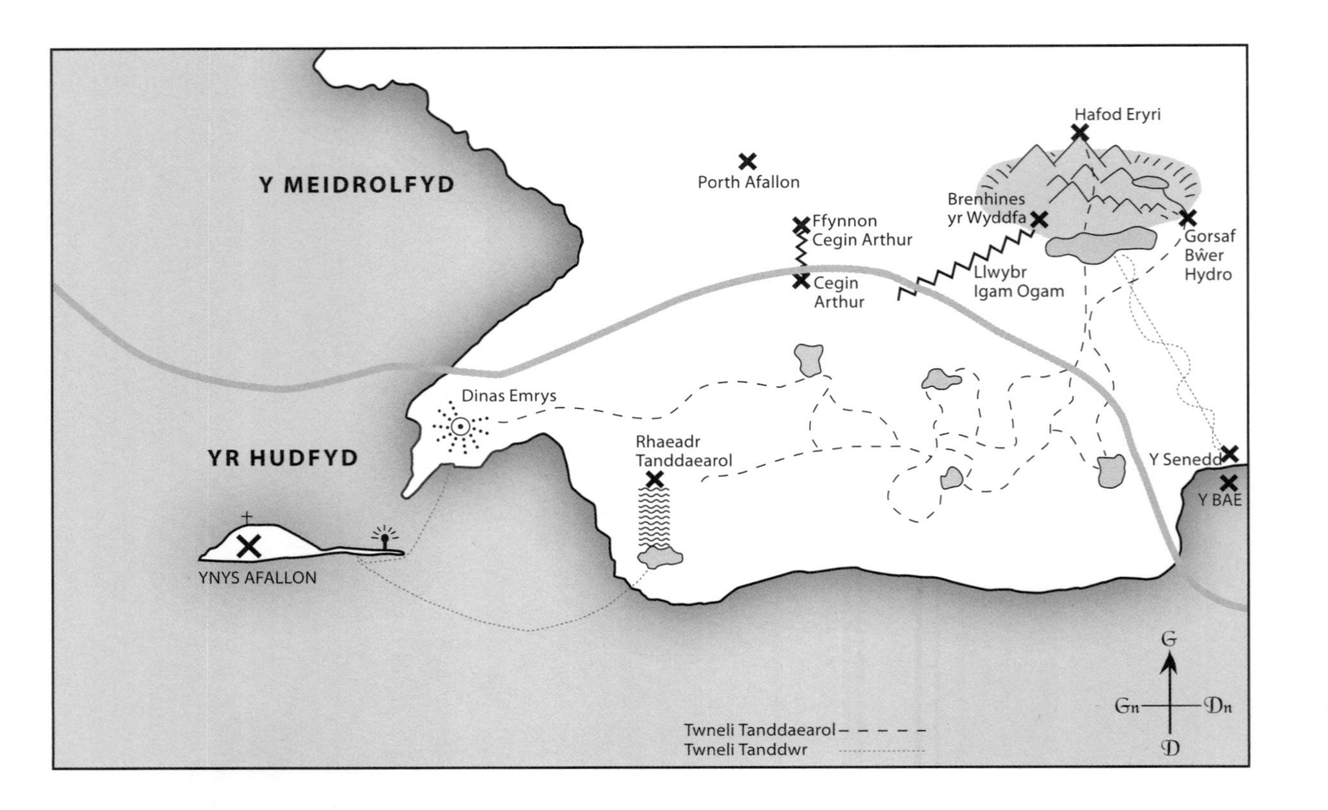
Y MEIDROLFYD
YR HUDFYD
Porth Afallon
Hafod Eryri
Brenhines yr Wyddfa
Ffynnon Cegin Arthur
Cegin Arthur
Llwybr Igam Ogam
Gorsaf Bŵer Hydro
Dinas Emrys
Rhaeadr Tanddaearol
Y Senedd
Y BAE
YNYS AFALLON
Twneli Tanddaearol
Twneli Tanddwr
G
Gn
Dn
D

Annwyl ddarllenydd,

Wyt ti'n barod i fentro gyda mi ar daith arbennig iawn – taith lle nad yw popeth yn ymddangos fel y dylai?

Taith rhwng dau fyd: y Meidrolfyd a'r Hudfyd . . .

Rwyt ti eisoes yn gyfarwydd â'r Meidrolfyd. Yma rwyt ti a mi – y Meidrolion (sef pobl) – yn byw. Ac er na wyddost ti mo hynny, rwyt ti hefyd yn cyffwrdd â'r Hudfyd. Mae hwnnw o'th gwmpas di ym mhobman – ym murmur yr afon, yn sisial yr awel ac yn nhincial clychau'r gog. Ers cyn cof bu'r ddau fyd yma'n bodoli ochr yn ochr â'i gilydd, a'r naill byth yn amharu ar y llall.

Nes y daeth drygioni i lygru'r tir.

Un noson, yng nghanol storm drydanol, atgyfodwyd Gedon Ddu. Hwn oedd y grym tywyllaf a chreulonaf a welwyd erioed. Ers canrifoedd bu'n cuddio yn y cysgodion, yn aros am ei gyfle i ddychwelyd i ddinistrio'r ddau fyd. Yn aros i ddiffodd eu goleuni. Yn aros am yr ArmaGEDON.

Ac o holl wledydd y Meidrolfyd, dewisodd Gymru fach fel ei darged cyntaf. O'i guddfan yn ddwfn yng nghrombil y mynydd, rhoddodd ei gynllun dieflig ar waith. Defnyddiodd ei rym trydanol i reoli'r tywydd a'r hinsawdd ac i greu llanast llwyr. A gyda help ei 'weision' ffyddlon, aeth ati i chwalu cof y Meidrolion. Dechreuodd rhai anghofio sut i siarad Cymraeg. Anghofiodd athrawon sut i ddysgu plant. Doedd gan awduron ddim syniad sut i ysgrifennu llyfrau. Roedd yr heddlu a'r gwleidyddion wedi anghofio sut i reoli'r wlad. Roedd popeth ar chwâl, a chynllun Gedon Ddu mewn perygl o lwyddo.

Heb gof; heb ddyfodol.

Ond roedd rhai yn gwrthod ildio.

Gwyddai'r gwybodusion fod yna UN a allai wrthsefyll grym Gedon Ddu. Y Brenin Arthur oedd hwnnw. Yn ôl y sôn, roedd Arthur yn aros am yr alwad i achub Cymru. Ond sut oedd dod o hyd iddo? Y cyfan a wyddai pawb oedd ei fod wedi cael ei gario i Ynys Afallon i wella o'i glwyfau ar ôl iddo gael ei anafu ym Mrwydr Camlan. Ond doedd Ynys Afallon ddim i'w gweld ar unrhyw fap. Roedd ei lleoliad yn ddirgelwch llwyr . . .

. . . i bawb ond y dewisedig rai.

Dewiswyd y rhain yn ofalus i fynd ar daith anturus i Afallon i ddod o hyd i'r allwedd aur fyddai'n achub Cymru. Ond pwy oedden nhw? Wel, dyma ddechrau fy stori . . .

Y flwyddyn yw 2050.

Mae Cymru mewn trafferthion mawr.

Mae Bae Caerdydd yn boddi.

Mae'r Senedd yn suddo, a'r chwareli'n cael eu defnyddio fel ffatrïoedd i chwalu cof y Cymry.

Mae ffyrdd uwchddaearol yn cael eu hadeiladu ym mhobman fel bod pobl yn gallu osgoi Cymru'n llwyr wrth deithio yn eu ceir trydan. A heb yn wybod iddo, mae bachgen 13 mlwydd oed o'r enw Llwyd ar fin cymryd ei gam cyntaf ar daith a fydd yn newid ei fywyd am byth.

Dilyna fi . . .

1

Pryfed Lludw

Gwyliodd Llwyd Cadwaladr y pryfed lludw yn gwasgu allan o'r craciau cyfyng yn y waliau. Ymwthiai eu teimlyddion o dan gragen gromennog a wnâi iddynt edrych fel armadilod bychain llwyd. Byddai sawl un yn meddwl eu bod yn hen bethau anghynnes iawn i'w cael yn bla yn eu hystafell wely. Ond er pan oedd yn blentyn ifanc iawn, teimlai Llwyd yn gwbl gartrefol yn eu cwmni. Weithiau, taerai fod y pryfed lludw yn siarad hefo fo. Yn aml iawn, byddai'n deffro ganol nos i sŵn eu siffrwd yn ei glust wrth iddyn nhw gropian ar draws ei obennydd.

Heb yn wybod i Llwyd, y rheswm pam y gallai uniaethu â'r pryfed lludw oedd eu bod yn debyg iawn. Tair ar ddeg oedd Llwyd, ac roedd yn byw efo'i ewythr Bedwyr mewn hen dyddyn ar gyrion y dref. Doedd Bedwyr ddim yn ewythr go iawn iddo, a byddai'n aml yn atgoffa Llwyd o hynny. Daeth o hyd i Llwyd yn fabi bach wedi'i adael yn amddifad ym maen bedyddio eglwys y plwyf. Gan nad oedd neb arall ei eisiau, cytunodd Bedwyr i fagu'r plentyn a rhoi to uwch ei ben yn ei gartref, sef Porth Afallon.

Hen dyddyn tywyll a llaith yw Porth Afallon, a gwir angen i rywun ei adnewyddu a'i foderneiddio. Ond gan fod Ewythr Bedwyr yn treulio pob awr o'r dydd yn ei atig dywyll yng nghanol ei lyfrau a'i sgroliau llychlyd, doedd hynny byth yn debygol o ddigwydd. Doedd Llwyd yn malio'r un botwm corn am hynny – roedd yn hapus iawn ei fyd ym Mhorth Afallon. Fel y pryfed lludw, roedd yn hoffi llefydd tywyll a llaith. Roedd hefyd yn hoffi'r nos gan mai dyna pryd y teimlai'n fwyaf diogel.

Hogyn eiddil a gwantan iawn yr olwg oedd Llwyd. Roedd y lliw fel petai wedi ei sugno o'i fochau, gan wneud i'w groen edrych fel papur trasio ac i'w lygaid brown difrifol suddo'n ddyfnach i'w ben. Oherwydd ei fod yn edrych mor fregus, roedd hefyd yn gocyn hitio i fwlis yr ysgol. Ond roedd blynyddoedd o astudio'r pryfed lludw wedi dysgu triciau defnyddiol iddo. Bob tro roedd rhywun yn bygwth Llwyd, byddai'n rholio'i hun yn belen fach. Buan iawn y byddai'r bwlis yn colli amynedd ac yn gadael llonydd iddo.

Y noson arbennig honno, y bwlis oedd y peth olaf ar ei feddwl. Roedd ei stumog yn griddfan o eisiau bwyd. Am yr ail dro o fewn ychydig ddyddiau, roedd Ewythr Bedwyr wedi anghofio popeth am wneud swper. A dweud y gwir, doedd dim byd gwerth ei fwyta yn yr oergell – roedd Llwyd eisoes wedi bod yn chwilio. Roedd Llwyd yn poeni'n arw am gyflwr meddyliol Ewythr Bedwyr. Roedd wedi mynd yn ffwndrus iawn yn ddiweddar, ac yn aml byddai Llwyd yn dod o hyd i bethau yn y llefydd rhyfeddaf. Gwadn esgid yn y popty, er enghraifft, neu goed tân yn yr oergell – a hyd yn oed sosbenni yn y tŷ bach! Roedd Llwyd yn gwrthod derbyn bod ei ewythr yn mynd yn dŵ-lali, ond roedd yr arwyddion yno i gyd mor eglur â hoel ar bost. Ac yn aml byddai Llwyd yn gwylio o ffenest ei ystafell wely wrth i'w ewythr stompio i fyny ac i lawr yr ardd gan fwmial rhyw eiriau anghyfarwydd wrtho'i hun.

✦ ✦ ✦

Brrrrrrrrrrrr . . .

Canodd cloch y drws ffrynt gan ysgwyd yr hen dŷ at ei seiliau. Sgytliodd y pryfed lludw yn ôl i'w cilfachau o dan y llawr. Anghofiodd Llwyd bopeth am y gerddorfa swnllyd yn ei stumog a rhedeg at y ffenest. Gallai weld car trydanol swanc yn hofran yn yr iard y tu allan i'r tŷ. Nid ymwelwyr cyffredin oedd yn galw heibio, felly, gan mai dim ond pobl bwysig a swyddogion y llywodraeth oedd yn berchen ar geir fel hyn. Ond beth oedden nhw ei eisiau, yn enwedig yr adeg yma o'r nos? Ar ei wats digidol, gwelai Llwyd ei bod hi wedi troi deg o'r gloch.

Clywodd wich yr ysgol bren yn protestio dan bwysau ei ewythr Bedwyr wrth iddo gamu i lawr o'r atig. Bustachai a phrotestio cyn taranu o dop y grisiau.

'Pwy goblyn sy'n tarfu ar bobl ar y fath awr? Ewch o 'ma'r cythreuliaid.'

Brrrrr brrrrrr brrrrrrr . . . Daliai'r gloch i ganu.

Doedd y sawl oedd yno un ai heb ei glywed yn gweiddi, neu roedden nhw'n benderfynol o wneud iddo agor y drws. Ildiodd Ewythr Bedwyr yn y diwedd, a chlywodd Llwyd y bolltau'n cael eu hagor ar y drws mawr derw. Cilagorodd

Llwyd ddrws ei ystafell wely i glustfeinio. Dyna un peth da arall am hen dai fel Porth Afallon; roedd sŵn yn cario i bob twll a chornel.

'Mr Bedwyr Cadwaladr?'

'Dibynnu pwy sy'n gofyn!'

'Swyddogion Llywodraeth Prydain. Gawn ni ddod i mewn, os gwelwch yn dda?'

'Na chewch, felly. Dywedwch eich neges yn y fan a'r lle. Mae'n hwyr.'

Stwffiodd Llwyd ei ddwrn i'w geg i stopio'i hun rhag chwerthin yn uchel. Da iawn, Ewythr Bedwyr, meddyliodd. Ond difrifolodd yn syth pan glywodd beth oedd gan y swyddog i'w ddweud nesaf.

'O'r gorau, os mai dyna'ch dymuniad,' meddai'r llais swyddogol yn sychlyd. 'Ar ran Prif Weinidog Prydain, Yr Anrhydeddus Jac Offa, rydym ni yma i gyflwyno Gorchymyn i chi i adael y tŷ yma – Porth Afallon – a hynny o fewn cyfnod o ddeng niwrnod.'

'Hy! Gorchymyn i adael? Pa hawl . . ?'

'Mae gennym ni bob hawl, Mr Cadwaladr, a hynny dan Ddeddf Diwygio 2050,' atebodd y llais swyddogol. 'Mae ein dogfennau'n dangos mai eiddo'r Llywodraeth yw Porth Afallon ac mai dim ond rhentu'r tir ydych chi. Mae angen i ni ddymchwel y tŷ er mwyn gallu adeiladu'r brif ffordd uwchddaearol i Brifddinas Prydain.'

Dechreuodd calon Llwyd guro fel gordd wrth glywed y fath newyddion syfrdanol.

'Ond rydw i a fy nheulu wedi byw yma ers canrifoedd,' protestiodd yr hen ŵr. 'Stwffiwch eich Gorchymyn!'

Clywodd Llwyd ei ewythr yn ceisio cau'r drws yn wyneb y swyddogion. Ond roedd yn amlwg bod un ohonynt wedi camu ar y rhiniog a rhoi ei droed yn y bwlch i'w atal.

'Dowch rŵan, Mr Cadwaladr. Dydi ymddwyn yn afresymol fel hyn ddim yn mynd i helpu eich achos.'

'Afresymol, wir! *Chi* sy'n bod yn afresymol yn dod yma ganol nos i . . .'

Ond roedd protestiadau Ewythr Bedwyr yn amlwg yn syrthio ar glustiau byddar. Aeth y llais swyddogol yn ei flaen gyda'i neges oeraidd.

'Rydych chi wedi derbyn sawl rhybudd eisoes, Mr Cadwaladr, ac wedi dewis eu hanwybyddu. Y cam nesaf, felly, yw eich gorchymyn i adael. Rydym ni wedi trefnu i chi a'r hogyn symud i fyw i fflat newydd sbon yn y marina yn y dre. Dwi'n siŵr y byddwch chi wrth eich boddau yno.

Rŵan, gwnewch y peth callaf, ac arwyddo'r Gorchymyn yma.'

Clywodd Llwyd sŵn papur yn cael ei rwygo'n ddarnau mân.

'Twt, twt! Eich dewis chi, Mr Cadwaladr. Ond o fewn deng niwrnod i heno bydd y peiriannau'n cyrraedd yma i ddymchwel Porth Afallon. Nos da i chi.'

Clywodd Llwyd sŵn grwnian isel injan y car trydanol cyn iddo hofran i ffwrdd. Rhuthrodd i lawr y grisiau, ond roedd y drws mawr derw yn llydan agored, a doedd dim golwg o'i ewythr Bedwyr yn unman.

2

Gelynion

Bu Llwyd yn troi a throsi drwy'r noson honno. Pan ddaeth yn amser iddo godi, teimlai'n flinedig iawn, ac roedd bron â llwgu. Trywanodd llafn o olau dydd ei dalcen drwy'r hollt yn y llenni lle bu'n sefyll yn gwylio swyddogion y llywodraeth yn gadael Porth Afallon neithiwr, gan godi cur yn ei ben. Brysiodd i ymolchi a gwisgo amdano.

Wrth iddo fynd heibio ystafell Ewythr Bedwyr, sylwodd Llwyd nad oedd neb wedi cysgu yn y gwely y noson cynt. Roedd ei ewythr wedi diflannu. Roedd y drws ffrynt derw'n dal led y pen ar agor, a darnau o bapur gwyn fel cawod eira ar y mat. Ceisiodd Llwyd eu rhoi at ei gilydd er mwyn darllen union eiriau'r Gorchymyn, ond roedd hynny'n dasg amhosibl.

Ochneidiodd Llwyd yn ddwfn, fel petai pwysau'r byd ar ei ysgwyddau ifanc. Er nad oedd o a'i ewythr yn agos iawn, Bedwyr oedd ei unig warchodwr ac roedd yn dibynnu'n llwyr arno. Ac yntau heb fam na thad, gwyddai Llwyd y byddai fwy na thebyg wedi ei roi mewn cartref gofal i blant oni bai am Bedwyr. Ond chafodd Llwyd erioed wybod dim am hanes ei ewythr, a doedd ganddo ddim syniad pa mor hen oedd o. Ceisiodd gyfri'r rhychau ar ei wyneb unwaith heb iddo sylwi, i weld a fyddai hynny'n rhoi rhyw syniad iddo – fel ceisio darganfod oed coeden drwy gyfri'r cylchoedd ar ei boncyff. Y cyfan a wyddai Llwyd oedd bod ei ewythr ecsentrig yn hen iawn ac yn ddyn hynod breifat. Doedd o ddim yn barod i blygu i'r drefn, chwaith – roedd wedi dangos hynny'n glir neithiwr.

✦ ✦ ✦

Dringodd Llwyd y grisiau i lawr uchaf y bws ysgol. Teimlai fel petai newydd gerdded i mewn i sied yn llawn o ieir a gwyddau gwyllt, cymaint oedd y caclan a'r sŵn aflafar o'i gwmpas. Gwyrodd i osgoi awyren bapur a wibiodd heibio'i glust, a phrysurodd i ffeindio sedd wag.

Yna, dechreuodd wenu o glust i glust.

Drwy ffenest y bws gallai weld reit i waelod gardd Porth Afallon, i'r tir corslyd oedd wedi tyfu'n wyllt fel jwngl. Ac yno, ar ei liniau ger rhyw dwmpath blêr o gerrig, roedd ei ewythr Bedwyr. O'i osgo, a'r ffaith ei fod yn chwifio'i freichiau fel melin wynt, gwyddai Llwyd fod yr hen ŵr unwaith eto wedi colli arno'i hun. Ond doedd dim ots ganddo am hynny. O leia gallai fynd i'r ysgol yn fodlon, gan wybod bod ei Ewythr Bedwyr yn saff.

Ymlaciodd. Nes iddo gofio'n sydyn . . . yng nghanol holl ddigwyddiadau dramatig neithiwr, roedd wedi anghofio gwneud ei waith cartref Mathemateg! Tyrchodd yn ei fag am ei lyfr. Wrth wneud hynny, gwelodd becyn bychan arian ac aur yn sgleinio ar y sedd. Gwyddai ar unwaith beth oedd o, a dechreuodd lafoerio fel llew oedd newydd weld sebra'n ymlwybro tuag ato. Roedd wedi gweld y Powdrbrydau yma'n cael eu hysbysebu ar ei sgrin sgwrsio ac roedd bron â marw eisiau rhoi cynnig arnyn nhw. Edrychodd ar y pecyn, a bron nad oedd yn gallu blasu'r geiriau wrth ddarllen:

POWDRBRYD

Dim amser am frecwast?
Rhowch y powdr yma ar eich tafod a mwynhewch facwn, wy a selsig mewn un cegaid!

PRYD, UNRHYW BRYD!

Teimlai Llwyd mor llwglyd fel bod ei ymennydd wedi gorfodi ei fysedd i agor y pecyn a thywallt y powdr i'w geg cyn sylweddoli beth oedd yn ei wneud. Ac O! roedd yn blasu'n fendigedig! Wrth i'r powdr gyffwrdd â blaen ei dafod, blasai facwn wedi'i grasu'n grimp, yn union fel roedd yn ei hoffi. Yna dychmygai ei ddannedd yn suddo i mewn i selsig fawr dew, cyn i raeadr o felynwy wy 'di ffrio lifo'n gynnes i lawr ei gorn gwddf. Dyma'r pryd gorau a flasodd Llwyd ers . . .

'Hei, Llipryn Llwyd, be ti'n feddwl ti'n neud?!'

Agorodd Llwyd ei lygaid i weld Anaconda a Menna Main yn sefyll yn fygythiol uwch ei ben.

'Fi bia'r powdrbryd 'na!' hisiodd Anaconda a'i llygaid yn rholio. 'Fe syrthiodd allan o fy mag, a dwi wedi bod yn chwilio ym mhobman amdano!'

Yn ei gwisg ysgol o liw gwyrdd tywyll, roedd yn hawdd gweld pam ei bod hi wedi cael y llysenw Anaconda. Edrychai'n union fel neidr fawr, yn barod i wasgu Llwyd nes gwneud i'w esgyrn glecian fel brigau mân dan draed.

'Llipryn Llwyd y lleidr,' gwichiodd llais llygoden Menna Main, a gysgodai y tu ôl i'w ffrind.

Byddai Llwyd wedi gwneud unrhyw beth i allu rholio'i hun yn belen fach fel y pryfed lludw i'w amddiffyn ei hun. Ond roedd hi braidd yn gyfyng ar y bws! Felly, fel arfer, penderfynodd gau ei geg yn glep heb ddweud gair. Doedd dim pwynt dadlau gyda dwy o fwlis mwya'r ysgol.

'Fe gei di dalu'n ddrud am hyn, Llipryn, o cei,' gwaeddodd Anaconda dros y bws.

'Sgrap!' gwaeddodd un o'r hogiau yn y cefn, gan beri i bawb ruthro fel haid o eliffantod tuag atynt.

'Pwylla di, Ana Prydderch, rhag ofn i rywun ddweud wrth Dadi!' meddai llais awdurdodol o'r cefn. Aeth y lle'n dawel fel y bedd oni bai am rygnu injan y bws.

'Dwi'n siŵr y byddai'r prifathro wrth ei fodd yn clywed bod ei ferch annwyl yn bygwth plant ddwy flynedd yn iau na hi ar y bws ysgol!' ychwanegodd y llais.

'Cadwa di dy hen drwyn allan o hyn, Arddun Gwen,' gwichiodd Menna Main.

'Fyddwn i ddim yn sôn am drwynau petawn i'n chdi, Menna Haf,' wfftiodd Arddun. 'Mae dy drwyn di mor hir a main fel ei fod yn gwneud i un Pinocio edrych fel trwyn smwt!'

Roedd Arddun flwyddyn yn hŷn na Llwyd, ac nid dyma'r tro cyntaf iddi ei helpu allan o drafferth. Hogan od iawn yr olwg oedd hi, gyda'i gwallt du fel y fagddu wedi'i gribo'n nyth brân blêr ar dop ei phen, a phensil du yn tanlinellu ei llygaid gwyrddion fel rhai cath. Gwleidydd pwysig oedd ei mam, Gwen Jones, a gweithiai yn y Senedd i lawr yn y Bae. Hi oedd yn gyfrifol am arwain y frwydr i atal cynlluniau Jac Offa, Prif Weinidog Prydain, rhag adeiladu'r ffyrdd osgoi uwchddaearol dros Gymru. Ac roedd yn gwbl amlwg i bawb fod Arddun yn dilyn ôl troed ei mam. Yn aml roedd hi i'w gweld ar ei bocs sebon ar iard yr ysgol, yn protestio ac yn ymgyrchu dros hyn a'r llall: mwy o ddewis o fwydydd iach yn y cantîn; mwy o lais i'r disgyblion ar gyngor yr ysgol, bla bla bla . . .

'Ti'n olreit?' holodd Arddun.

Teimlai Llwyd ei fod ar fin ffrwydro! Roedd Arddun Gwen wedi llwyddo i wneud pethau gan mil gwaeth iddo. Edrychai'n hollol bathetig o flaen pawb rŵan.

Na, doedd o *ddim* yn olreit!

3

Drwg ar droed

Rhywle yng nghrombil y mynydd, roedd ffôn gwyrdd yn canu ac aeth dyn i'w ateb. Roedd wedi'i wisgo mewn siwt rwber wen o'i gorun i'w sawdl, fel gwenynwr. Doedd dim posib gweld ei wyneb. O'i flaen ymestynnai wal o fonitorau, fel sgwariau bach wedi'u pwytho ar gwilt gwely. Fflachiai llinellau amryliw ar y sgriniau.

Pan ddechreuodd y dyn siarad â'r llais yr ochr arall i'r ffôn, chwyddodd y llinellau i ffurfio pigau copaon mynyddoedd. Treiddiodd ias fel gwefr drydanol i lawr cefnau pawb oedd yn bresennol yn yr ogof o ystafell.

'O, bŵer grymusaf a thywyllaf y bydysawd, dyma fi at eich gwasanaeth,' meddai'r dyn yn y siwt rwber.

'Henffych, was ffyddlon,' atseiniodd y llais drwy wacter y mynydd. 'Dywed wrthyf y newyddion diweddaraf am y dinistr.'

‘Mae’r arwyddion yn amlwg ar hyd a lled y wlad,’ meddai’r dyn yn frwdfrydig i geisio plesio’i feistr gan bwyso botwm i ddeffro’r monitorau.

Ar y sgriniau, daeth delweddau o goed a phontydd wedi’u dymchwel gan y stormydd a’r llifogydd fu’n taro Cymru’n ddiweddar. Gwelid lluniau o dai gyda sachau tywod wedi’u pentyrru o flaen eu drysau, a cheir yn arnofio fel cychod i lawr y stryd.

‘Ardderchog! Mae’r chwalfa wedi cychwyn,’ ymatebodd y llais.

‘Ydi, ac mae’r morglawdd yn y Bae yn simsanu a’r Senedd yn llwybr y llif,’ ychwanegodd y dyn yn y siwt wen yn frwdfrydig.

Dangosai’r sgrin y morglawdd, gyda lefel y môr y tu draw iddo yn codi’n beryglus o uchel. Roedd y Bae a’r Senedd mewn perygl gwirioneddol o gael eu boddi.

‘Gwych! Bydd Cymru’n eiddo i mi ymhen dim o dro, yna gallaf droi fy ngolygon at orchfygu’r holl fyd,’ bloeddiodd y llais yn fuddugoliaethus.

‘Mae gwaith da’r Chwalwyr hefyd yn dechrau dwyn ffrwyth,’ ychwanegodd y dyn yn y siwt rwber gan edrych i lawr o’i blatfform ar y dynion mewn siwtiau gwyn yn symud yn brysur fel morgrug oddi tano. Roedden nhw'n cario cewyll copr trwm o un lle i'r llall.

'Mae'r stormydd trydanol yn chwalu cof pobl. Mae sawl ysgol wedi gorfod cau ei drysau oherwydd bod yr athrawon wedi anghofio sut i ddysgu. Mae awduron wedi anghofio sut i ysgrifennu llyfrau yn y Gymraeg. A does gan y gwleidyddion ddim syniad beth maen nhw'n ei wneud! Mae Cymru'n prysur ddiflannu oddi ar y map, O Dywyllaf Un.'

'Beth am y bygythiad?' taranodd y llais.

Chwarddodd y dyn yn y siwt rwber yn ddirmygus. 'Does dim angen i chi boeni am Bedwyr, Eich Mawredd. Mae'r peiriannau ar eu ffordd i ddymchwel y tŷ, ac mae ei gof yn prysur ballu. Cyn toriad gwawr bydd wedi anghofio ei Gyfrinach Fawr. Fo ydi'r unig un sy'n gwybod ymhle y cuddiwyd yr allwedd a all achub Cymru. Heb gof, bydd ei gyfrinach yntau'n mynd yn angof – ac yna, ni fydd neb ar ôl i atal eich cynllun rhag gweithio.'

Wrth iddo roi'r ffôn gwyrdd i lawr, tynnodd y dyn yn y siwt rwber ei fwgwd. Lledodd gwên fuddugoliaethus ar draws wyneb Prif Weinidog Prydain – Jac Offa.

4

Lleisiau ganol nos

Teimlai Bedwyr y trydan yn drwm yn yr awyr. Gwyddai fod amser yn brin. Roedd yn rhaid iddo gwblhau ei orchwyl cyn i'r mellt daro a threiddio i mewn i'w gof. Brasgamai'n ôl ac ymlaen ar hyd gwaelod yr ardd fel uwch-sarjant yn archwilio'i linell o filwyr. Edrychai i lawr ar ei draed, ei sbectol yn hongian oddi ar grwc ei drwyn. Roedd ei ddwylo wedi'u clymu mewn coflaid y tu ôl i'w gefn, a disgleiriai ei wallt hir, claerwyn yng ngolau'r lleuad lawn. Wrth iddo gerdded, llusgai ei ŵn nos fel clogyn y tu ôl iddo. Roedd rhywbeth yn amlwg yn pwyso ar ei feddwl. Edrychai'n aml dros ei ysgwydd fel petai'n ofni bod rhywun neu rywbeth yn ei ddilyn.

Fflach! Saethodd mellten tuag ato fel ewinedd gwrach. Teimlodd Bedwyr y sioc statig yn tanio yn ei ben. Fflach arall! Roedd y storm drydanol yn ei hanterth, a'r mellt fel gwe pry cop yn goleuo'r nos. Roedd yn rhaid iddo frysio. Syrthiodd ar ei liniau a dechrau tyrchu'n ddall yn y dail a'r llwyni fel twrch daear. Llithrodd ei law ar garreg lysnafeddog, a theimlodd o'i chwmpas am y cylch perffaith. Daeth mellten arall i oleuo'r pentwr o gerrig o'i flaen, ac yn eu canol roedd pwll o ddŵr budr, seimllyd. Yna, heb wastraffu eiliad, dechreuodd Bedwyr lafarganu uwchben sŵn y taranau:

Y PORTH I AFALLON, DATGELA DY HUN –
FE DDAETH YR AWR I DDERBYN YR UN.

✦ ✦ ✦

Roedd fflachiadau'r mellt yn amharu ar gwsg Llwyd, gan wneud iddo droi a throsi'n anesmwyth yn ei wely a gwingo fel pysgodyn ar dir sych. Clywai leisiau yn ei ben, yn siffrwd yn ei glust. Doedd ganddo ddim syniad beth oedd y lleisiau'n ei ddweud, ond gwyddai fod eu neges yn un daer fel tiwn gron. Roedd y lleisiau'n mynnu ei fod yn gwrando, a fesul tipyn deuai'r geiriau'n gliriach:

LLWYD: YR HWN A FYDD YN LLWYDDO,
Y PORTH SY'N AROS: AWN NI DRWYDDO.

Yn sydyn, teimlai Llwyd rywbeth yn cosi ei glust, a deffrodd gyda naid. Bu'n rhaid iddo fygu sgrech wrth weld ei glustog yn un carped o bryfed lludw. Ugeiniau ohonyn nhw.

> LLWYD . . . LLWYD . . .
> A FYDD YN LLWYDDO
> PORTH . . . Y PORTH . . .
> AWN . . . AWN NI DRWYDDO.

Roedd y lleisiau i'w clywed yn gryfach ac roedd Llwyd wedi ei barlysu gan ofn. PWY oedd yn galw arno gefn trymedd nos fel hyn? SUT oedden nhw'n gwybod ei enw? BETH oedden nhw ei eisiau? A PHAM dewis y fo o bawb? Doedd neb yn yr ystafell heblaw y fo a'r pryfed lludw . . .

Fflachiodd mellten ar draws ei ffenestr, gan ddangos rhes hir o'r pryfed lludw yn arwain allan o'i ystafell wely. Pinsiodd Llwyd ei hun i wneud yn siŵr nad oedd yn breuddwydio, a neidiodd mewn poen wrth i'w ewin dynnu gwaed. Roedd rhywbeth hynod annaearol ar droed, a gwyddai nad oedd ganddo ddewis ond dilyn y pryfed. Wrth fynd heibio i ddrws agored ystafell ei ewythr, gwyddai Llwyd hefyd na fyddai Bedwyr yno. O'r eiliad yr agorodd ei lygaid, cafodd y teimlad ei fod ar ei ben ei hun yn y tŷ – roedd Ewythr Bedwyr wedi ei adael.

Arweiniwyd Llwyd i lawr y grisiau gan y pryfed lludw, ac allan i'r ardd. Cyn gynted ag y camodd drwy'r drws, dechreuodd fwrw glaw, a'r dafnau'n ei daro fel bwledi bach. Erbyn iddo gyrraedd y tir corslyd yng ngwaelod yr ardd roedd yn wlyb at ei groen. Gwyliodd y pryfed lludw yn gwasgu eu hunain o dan gylch o gerrig perffaith. Roedd y cerrig yn amgylchynu pwll o ddŵr drewllyd gydag olew a braster yn arnofio ar yr wyneb.

Y PORTH . . . Y PORTH . . .

. . . AWN . . . AWN NI DRWYDDO.

Rhoddodd Llwyd ei ddwylo dros ei glustiau i geisio boddi sŵn y lleisiau. *Gadewch lonydd i mi*, gwaeddodd gan erfyn am ei Ewythr Bedwyr. Roedd yn dyheu am i rywun ddweud wrtho mai dim ond breuddwyd gas oedd hyn i gyd. Yna, yn sydyn, teimlodd ei hun yn cael ei wthio'n galed. Syrthiodd yn bendramwnwgl i mewn i'r pwll o ddŵr ac aeth popeth o'i amgylch yn ddu.

5

Cegin Arthur

'Wdull!' sgrechiodd llais cras.

Ar amrantiad, daeth creadur od yr olwg i sefyll yng ngheg y drws. Edrychai fel hanner dyn a hanner pryfyn. Gwisgai arfwisg lwyd, a chariai gragen fel un armadilo ar ei gefn. Roedd helmed ar ei ben, gyda lle i'w deimlyddion wthio drwyddi.

'Fan yna wyt ti! Dos i nôl jwg o laeth enwyn a phowlen o gawl o'r crochan, ar dy union. Tsiop-tsiop,' meddai'r llais, i gyfeiliant sŵn clicio bysedd.

'Mae golwg ar hwn fel petai o wedi bod yn bwyta gwellt ei wely. Drycha llwyd ydi'i fochau o, fy siwgr mêl i!'

Dechreuodd y llais geryddu. 'Arhosa di i mi gael gafael ar y bwbach Bedwyr 'na. Mi gaiff o flas fy nhafod i. O, caiff! Mae o'n amlwg wedi bod yn anwybyddu'i ddyletswyddau, a heb fod yn edrych ar ôl yr hogyn bach 'ma'n iawn. Mae o'n cau ei hun yn yr hen atig 'na efo'i hen lyfrau gwirion – does dim synnwyr yn y peth, nac oes wir . . .'

Daeth sŵn griddfan isel i dorri ar draws y llais.

'Brysia, Wdull! Mae o'n dechrau dod ato'i hun!'

✦ ✦ ✦

Pan agorodd Llwyd ei lygaid, roedd yn wlyb domen dail ac yn gorwedd ar lawr pridd caled. Slwtsh! Slap! Roedd yn cael ei daro ar draws ei wyneb gan rywbeth oer. Yn ogystal, roedd bysedd tewion fel tethi buwch yn trio tynnu'i ddillad gwlyb oddi amdano. Cofiodd yn sydyn ei fod dal yn gwisgo'i byjamas, a neidiodd fel llyffant ar ei draed. Ond bu bron i'w goesau roi oddi tano eto wrth iddo syllu mewn rhyfeddod ar yr olygfa o'i flaen. Roedd seigiau ham a chwningod a ffesantod wedi marw yn hongian o'r to, a chrochan enfawr yn ffrwtian ar y tân. Wrth wylio morynion a gweision yn rhuthro o gwmpas y lle yn fân ac yn fuan, sylweddolodd Llwyd ei fod mewn cegin anferth, brysur. Yn ei chanol roedd cafn mawr o ddŵr a edrychai'n debyg iawn i ffynnon.

Ble yn y byd oedd o? Ai rhyw freuddwyd od oedd hyn i gyd? Ond roedd mwy nag un syrpréis i ddod eto . . .

Ymddangosodd wyneb hyll dynes – a hwnnw'n blastar o blorod blewog – o fewn modfedd i wyneb Llwyd gan beri iddo lyncu mewn braw. Gwenodd y ddynes gan ddangos rhes o ddannedd melynfrown, yn debyg i rai llif wedi rhydu, ac anadlu arogl garlleg cryf i'w gyfeiriad. Teimlodd Llwyd yn benysgafn eto a syrthiodd yn glewt ar ei ben-ôl ar y llawr pridd. Teimlodd rywun yn rhoi slap arall iddo ar draws ei foch gyda darn o gig gwaedlyd i geisio'i ddadebru.

'Ty'd yn dy flaen, Wdull, neu mi fydd yr hogyn bach wedi dal annwyd!' hysiodd y ddynes.

Ac am yr eildro bu bron i Llwyd â llewygu. Oherwydd yn cerdded tuag ato, gan gario bwyd a dillad glân, roedd pryfddyn – sef hanner pryf lludw a hanner dyn – yn cerdded ar ddwy o'i bedair coes ar ddeg!

Roedd cymaint o chwant bwyd ar Llwyd fel y cipiodd y bowlen o gawl gan y pryfddyn a dechrau bwyta'n awchus.

'Byta di fel tasa ti gartra, 'ngwas del i,' meddai'r wraig yn glên. 'Dydi'r hen Bedwyr 'na yn amlwg ddim wedi bod yn dy fwydo di!'

Wedi i Llwyd orffen bwyta, taflodd y wraig drowsus sachliain a chrys gwyn ato a phwyntio at baneli y tu ôl i'r drws.

'Cer di fan acw i newid. Rwyt ti'n wlyb at dy groen ar ôl dy daith drwy'r ffynnon,' eglurodd.

'P . . . pa ffynnon?' holodd Llwyd yn grynedig.

Chwarddodd y ddynes hyll mewn anghredin-iaeth.

'Pa ffynnon, wir? Chlywais i erioed y ffasiwn beth! Wel, Ffynnon Cegin Arthur siŵr iawn. Honno sy fan acw,' meddai, gan bwyntio at y cafn yng nghanol y gegin. 'Fe ddoist ti i lawr y ffynnon a glanio yma yng Nghegin Arthur!'

Roedd yr olwg ddryslyd ar wyneb Llwyd yn ddigon o brawf nad oedd ganddo syniad am beth roedd y ddynes yn sôn. Felly, wedi iddo newid i'w ddillad sych, cafodd ei sodro ar stôl deircoes a'i orfodi i wrando'n astud.

'Ar f'einioes i! Mae'n amlwg nad ydi Bedwyr wedi dweud dim wrthot ti. Rêl dynion! Gadael bob dim tan y funud ola nes ei bod hi'n rhy hwyr!' twt-twtiodd.

Estynnodd ei llaw i Llwyd ei hysgwyd. 'Heti Hylldrem ydw i, gyda llaw, prif gogyddes Cegin Arthur. Cofia di, nid dyna ydi fy enw iawn i, a do'n i ddim yn arfer edrych mor hyll â hyn,' prysurodd i ddweud. 'Ar un adeg, fi oedd y ferch harddaf yn yr holl Hudfyd. Ond mi roddodd Myrddin Ddewin swyn arna i wedi i'r Frenhines Gwenhwyfar, gwraig y Brenin Arthur, ddweud celwydd amdana i.

'Fi oedd prif forwyn y Frenhines, ac mi fues i'n tendio arni am flynyddoedd. Ond roedd Gwenhwyfar yn ddynes eiddigeddus iawn ac yn amau 'mod i'n ffansïo'i gŵr hi, sef y Brenin Arthur, o bawb! Glywaist ti'r ffasiwn lol! Er, mae'n rhaid i mi gyfaddef, mae o'n ddyn reit hynci am ei oed . . .'

Aeth ymlaen â'i stori. 'Ta waeth, mi fynnodd Gwenhwyfar fod Myrddin yn rhoi swyn arna i. Fy nghosb oedd colli fy harddwch a chael fy hel i weithio i Gegin Arthur i dendio ar bob Tom, Dic a Harri sy'n galw heibio!' eglurodd gyda thinc trist yn ei llais.

Yna prysurodd i ychwanegu, 'Nid dy fod *ti* yn rhywun-rywun wrth gwrs!' Gwenodd drwy'r bylchau yn ei dannedd melyn. 'Rydan ni wedi bod yn aros amdanat ti byth ers i Bedwyr roi'r neges SOS i lawr y ffynnon neithiwr. Dyna pam y daeth Wdull a'i filwyr i dy nôl a dod â ti yma heno.'

Ffrydiodd y cyfan yn ôl i feddwl Llwyd – cael

ei ddeffro ganol nos gan leisiau'n siffrwd yn ei glust. Ac yna ei glustog yn fyw o bryfed lludw cyn iddyn nhw ei arwain allan o'r tŷ ac at y ffynnon yng ngwaelod yr ardd. Yn sydyn, sylweddolodd Llwyd mai Wdull a'i filwyr oedd wedi bod yn cadw cwmni iddo yn ei ystafell wely. Nhw hefyd fu'n gyfrifol am ei wthio i lawr y ffynnon neithiwr. Ond roedd un cwestiwn amlwg yn poeni Llwyd.

'Ond *pam* rydw i yma?' mentrodd holi.

Ac wrth i Heti Hylldrem fynd ati i egluro, roedd Llwyd yn cael trafferth i gredu'r hyn roedd yn ei glywed. Dywedodd Heti wrtho:

• Bod Ffynnon Cegin Arthur wedi bod yn cuddio yn y drysni yng ngwaelod gardd Porth Afallon ers canrifoedd.

• Ei Ewythr Bedwyr ydi un o farchogion y Brenin Arthur. Y fo ydi'r unig un sy'n gwybod y Gyfrinach Fawr am leoliad y ffynnon. Mae wedi bod yn ei gwarchod rhag ofn y bydd angen i'r Cymry alw ar y Brenin Arthur i'w helpu ryw ddydd.

• Y ffynnon ydi'r unig fynediad – neu borth – i Ynys Afallon, lle mae Arthur yn aros gyda'r allwedd aur i achub Cymru.

• Nid pawb sy'n gallu mentro ar y daith i

Afallon. Mae rhai wedi eu dewis yn ofalus o holl bobl y byd, sef y Meidrolion.

• Mae dyfodol y Meidrolfyd a'r Hudfyd yn eu dwylo nhw gan fod pwerau tywyll Gedon Ddu wedi dychwelyd i'r tir. Mae Gedon a'i ddrwgweithredwyr yn benderfynol o ddinistrio Cymru, y Meidrolfyd a'r Hudfyd.

Rhythodd Llwyd arni'n geg agored wrth i'r cwestiynau blethu drwy'i feddwl fel llond bwced o gynrhon. Ffynnon yng ngwaelod yr ardd? Ewythr Bedwyr yn un o farchogion y Brenin Arthur? Y Meidrolfyd? Yr Hudfyd? Cymru mewn trafferthion? Gedon Ddu? Allwedd aur . . ?

Teimlodd Llwyd law gadarn Heti yn gwasgu'i ysgwydd yn famol.

'Rwyt ti'n un o'r rhai sydd wedi eu dewis, Llwyd,' meddai. 'Ond rhaid i ti fod yn ofalus. Mae'r daith o'th flaen yn un anturus a pheryglus iawn.'

'Ewythr Bedwyr?' holodd Llwyd yn bryderus. 'Be sy wedi digwydd iddo fo? Mae o wedi diflannu.'

Tywyllodd wyneb Heti Hylldrem. 'Mae cynlluniau dieflig Gedon Ddu yn dechrau dwyn ffrwyth, mae arna i ofn, Llwyd. Mae o wedi bod ar ôl Bedwyr ers sbel er mwyn trio gwagio'i gof.

Mae'n gwybod mai Bedwyr ydi'r unig un sy'n gwybod ble mae'r porth sy'n arwain y dewisedig rai at y Brenin Arthur. Dyna pam ei fod yn ceisio chwalu cof Bedwyr. Mae'n trio sicrhau na fydd neb ar ôl i rwystro cynllun Gedon Ddu.'

Edrychodd Heti i fyw llygaid Llwyd. 'Mae'n rhaid i ti lwyddo. Mae dyfodol Cymru, Y Meidrolfyd a ninnau yn yr Hudfyd, i gyd yn dibynnu arnat ti!'

Claddodd Llwyd ei ben yn ei ddwylo. Roedd y cyfan yn ormod iddo.

'Ond sut mae disgwyl i mi wneud hyn?' holodd. 'Mae'n dasg amhosibl. Dim ond 13 oed ydw i!'

'Paid â phoeni, bydd digon o ffrindiau i'th helpu ar hyd y ffordd,' meddai Heti Hylldrem i'w gysuro. 'Nid ti ydi'r unig un sy wedi ei ddewis, cofia.'

Trodd Heti at Wdull. 'Rŵan 'ta, ble mae'r Meidrolyn arall, Wdull? Dylai dy filwyr fod wedi dod â hi yma i'r Hudfyd erbyn hyn . . .'

6

Arddun Gwen

'Diffodda'r sgrin sgwrsio 'na, Arddun Gwen,' gwaeddodd Nanw'r nani o waelod y grisiau. 'Mae hi wedi troi deg o'r gloch!'

'Iawn, Nanw,' atebodd Arddun gan gicio'i hun am gael ei dal yn gwneud rhywbeth na ddylai. Arhosodd i wrando ar ddiwedd y rhagolygon tywydd – roedden nhw'n darogan rhagor o stormydd a llifogydd yng Nghymru. Ysgyrnygodd wrth weld nad oedd pen dyn Ynys Môn wedi'i gynnwys ar y map o Brydain, eto fyth. Roedd hyn i gyd yn rhan o gynlluniau Jac Offa i gael gwared ar Gymru. Dim ond mater o amser oedd hi cyn y byddai'r wlad i gyd wedi diflannu!

'Arddun! Wna i ddim gofyn eto,' mynnodd Nanw.

'Olreit!' hyffiodd Arddun, gan ddiffodd y sgrin sgwrsio yn ei llaw a'i roi ar y cwpwrdd erchwyn gwely. Swatiodd dan y dŵfe, ond gwyddai na fyddai'n gallu cysgu heno. Hiraethai am ei mam. Roedd Gwen Jones, y gwleidydd pwysig, wedi cael ei galw i'r Senedd yn y Bae ar fusnes brys unwaith eto. Roedd hi'n byw ac yn bod yno ers tro, wrth i'r Llywodraeth geisio rhoi stop ar gynlluniau Jac Offa i adeiladu ffyrdd osgoi uwchddaearol dros Gymru.

Roedd rhywbeth arall yn corddi Arddun hefyd – Llwyd Cadwaladr oedd hwnnw! Rhag ei gywilydd yn ymateb mor anniolchgar wrth iddi geisio'i helpu ar y bws! Byddai Anaconda a Menna Main wedi ei fychanu o flaen pawb heblaw ei bod hi wedi camu i'r adwy. Ac yn ôl ei arfer, byddai Llwyd wedi eistedd yno a derbyn y cyfan heb wneud unrhyw ymdrech i'w amddiffyn ei hun. Hy! Roedd hogiau'n gwbl bathetig weithiau – yn enwedig rhai fel Llipryn Llwyd! O wel, dyna'r tro diwethaf y byddai hi'n ceisio'i helpu allan o dwll. Byddai'n rhaid iddo ddysgu sefyll ar ei ddwy droed ei hun o hyn ymlaen!

Nadreddai'r holl feddyliau hyn drwy'i phen wrth iddi bendilio'n anesmwyth rhwng cwsg ac effro. Ffrydiodd golau'r lleuad i mewn i'w hystafell wely gan daflu sbotolau ar bryf lludw unig oedd yn cropian ar hyd y llawr. Ych! Roedd yn gas ganddi bryfed, a chladdodd ei phen yn ei gobennydd i geisio ailgydio yn ei chwsg. O'r diwedd, syrthiodd i drymgwsg rhyfedd iawn. Breuddwydiai ei bod yn cael ei chario allan i bydew'r nos a'i thaflu'n ddiseremoni i bwll o ddŵr budr, llysnafeddog.

✦ ✦ ✦

'A-ha! Dyma hi o'r diwedd!'

Clywodd Arddun lais yn rhywle yn y pellter, fel adlais mewn ogof fawr.

'Fe gyflawnodd dy filwyr eu gwaith, Wdull,' meddai Heti Hylldrem. 'Mae'r pâr dewisedig bellach yn gyflawn.'

Bron nad oedd Arddun am fentro agor ei llygaid. Roedd arni ormod o ofn. Gwyddai nad breuddwydio oedd hi, oherwydd gallai deimlo'i choban yn glynu'n wlyb at ei chroen. Doedd pobl ddim yn gwlychu mewn breuddwydion!

Safai Arddun ger cafn o ddŵr enfawr a edrychai'n debyg iawn i ffynnon gan syllu'n hurt ar ei hadlewyrchiad yn y dŵr. Roedd ei gwallt du, a oedd fel arfer wedi'i frwsio fel cwch gwenyn blêr ar dop ei phen, yn fflat fel crempog. Roedd cudynnau hir yn glynu fel cynffonnau llygod mawr i'w bochau. Edrychai fel drychiolaeth! Ond roedd gwaeth i ddod. Sgrechiodd pan welodd bryfddyn anferth yn cerdded tuag ati gan gario dillad glân. Bu bron iddi â llewygu pan gyflwynodd gwraig hyll iawn yr olwg ei hun iddi fel Heti Hylldrem, prif gogyddes Cegin Arthur. Dechreuodd ei gwaed ferwi fel sosban bwysedd ar fin ffrwydro pan welodd Llwyd Cadwaladr yn sefyll yng nghanol yr hyn a edrychai fel cegin anferth, gan syllu'n syn arni.

'Be? Pwy? Sut? . . . CHDI!' poerodd Arddun, gan faglu dros ei geiriau. Roedd mewn cymaint o sioc.

'Twt, twt, Arddun Gwen. Llai o'r hen lol wirion yna!' ceryddodd Heti Hylldrem. 'Mae angen i chi'ch dau gyd-dynnu o hyn ymlaen. *Chi*, wedi'r cyfan, ydi'r ddau sy wedi'u dewis i fynd ar y daith i Afallon i ddod o hyd i'r Brenin Arthur a'r allwedd – yr allwedd aur fydd yn achub Cymru. Felly, croeso aton ni i'r Hudfyd.'

'Hudfyd? Afallon? Y Brenin Arthur? Am be 'dach chi'n sôn?' heriodd Arddun gan ddal i lygadrythu ar Llwyd.

'Mi wnaiff Llwyd egluro popeth i ti ar y daith,' ychwanegodd Heti. 'Mae amser yn brin, ac mae tasg enfawr o'ch blaenau. Y cam cyntaf yw mynd i ofyn cyngor Brenhines yr Wyddfa ar sut i ddod o hyd i'r ffordd i Afallon. Mae hi'n gwybod popeth dan haul. Daw Wdull efo chi yn gwmni ac i ofalu amdanoch chi.'

Edrychodd Arddun a Llwyd ar y pryfddyn a safai'n dalsyth yng nghanol yr ystafell. Edrychodd i ffwrdd yn swil. Yna estynnodd Heti am botel wydr wag oddi ar y silff uwchben y tân ac aeth at y ffynnon i lenwi'r botel â dŵr.

'Dyma botel o ddŵr Ffynnon Cegin Arthur i chi. Mae'n ddŵr hud ac iachusol sy'n gallu gwella pob clwyf dan haul. Ewch â hi efo chi rhag ofn y bydd ei hangen arnoch yn ystod y daith.'

Gwenodd Heti Hylldrem drwy'i dannedd melyn wrth iddi roi'r botel wyrddlas yn saff yn nwylo Llwyd.

7

Brenhines yr Wyddfa

'Gorjys porjys!'

Safai Brenhines yr Wyddfa uwchben dyfroedd crisialog Llyn Peris, yn edmygu ei hadlewyrchiad ei hun.

'O! Am biwtiffwl!'

Siâp pen merch wedi'i ffurfio mewn rhan o'r mynydd yw Brenhines yr Wyddfa. Mae wedi bod yno ers miliynau o flynyddoedd, yn edrych dros ei theyrnas ac yn dyst i newidiadau mawr a ddigwyddodd dros dreigl amser.

'Gwallt fel pìn mewn papur . . . trwyn bach siapus . . . a dim sôn am ên ddwbl!' Roedd y Frenhines yn dal i ymffrostio.

Yna ochneidiodd yn ddwfn gan chwythu awel gref i gyfeiriad y graig gan ddychryn nythaid o gigfrain oedd yn llechu yno.

'Hen dro nad oes 'na neb o gwmpas heddiw i ryfeddu at fy mhrydferthwch. Mae hi'n boring poring bod yn sownd i ryw hen fynydd diflas rownd y rîl. Does 'na ddim byd yn digwydd yma o doriad gwawr hyd fachlud haul . . .'

Yn sydyn, sylwodd ar dri ffigur unig yn dringo'r Llwybr Igam Ogam i fyny'r tomennydd llechi.

Llamodd calon garreg y Frenhines. Hwrê! Dyma ei chyfle am ychydig o hwyl.

'Hei! STOPIWCH!' gwaeddodd ar y cerddwyr.

Seiniodd ei llais i lawr y dyffryn. Stopiodd Llwyd, Arddun ac Wdull yn stond.

'Pwy sy 'na?' holodd Llwyd gan droi ei ben, bron 360 gradd fel tylluan, i edrych o'i gwmpas.

'Dwi'n credu bod Brenhines yr Wyddfa wedi'n gweld ni,' atebodd Wdull yn ofnus. 'Brysiwch! Esboniwch wrthi pwy ydych chi a pham rydych chi yma . . . a chofiwch, da chi, gyfeirio ati fel Ei Mawrhydi, neu fe wnaiff ein chwythu ni oddi ar y llwybr 'ma mewn un chwa nerthol!'

Craffodd Llwyd ar draws y llyn i geisio dod o hyd i'r Frenhines.

'Does 'na neb yna,' meddai o'r diwedd. 'Y cyfan wela i ydi darn o fynydd.'

'Hisht!' hisiodd Wdull a phanig yn llenwi ei lygaid. 'Paid â gadael iddi dy glywed.'

'Sbia eto'r ffŵl gwirion,' wfftiodd Arddun Gwen yn ddiamynedd. Roedd yn dal i deimlo'n ddig tuag at Llwyd. 'Fuest ti erioed ar dy wyliau yn Eryri a chwilio am siâp pen Brenhines yr Wyddfa yn y mynydd? Dacw hi fan yna, y twmffat – reit o dy flaen di!'

'Pwy ydach chi, a be ydach chi isio?' bloeddiodd Brenhines yr Wyddfa'n awdurdodol. 'Dwi'n ddynas brysur, a does gen i ddim amser i'w wastraffu ar ryw rafins blêr fatha chi!'

'Hy-hym . . . rydan ni yma . . .' dechreuodd Arddun yn nerfus.

'A hefo PWY wyt ti'n feddwl ti'n siarad, dol?' dwrdiodd y Frenhines, gan greu tonnau garw ar wyneb llyfn y llyn. 'Iesgob! Mae isio gras efo pobl ifanc heddiw, oes wir. Does gynnyn nhw ddim syniad sut i ymddwyn yn gwrtais.'

Pwniodd Wdull fraich Arddun yn ddig.

'O ia . . . mae'n ddrwg gen i, Eich Mawrhydi,' ychwanegodd Arddun yn ffwndrus, gan foesymgrymu.

Dechreuodd Llwyd biffian chwerthin, a saethodd Arddun olwg fygythiol arno.

'Dyna welliant!' meddai'r Frenhines. 'Rŵan 'ta, esboniwch pam rydach chi yma yn yr Hudfyd? Anaml iawn y bydd pobl fel chi'n croesi draw o'r Meidrolfyd, felly mae'n rhaid bod eich neges yn un bwysig.'

‘Rydan ni’n chwilio am y Brenin Arthur, Eich Mawrhydi,’ dechreuodd Arddun esbonio.

Torrodd chwerthin cras y Frenhines ar ei thraws. ‘Ha-ha! Taw â dy rwdlan hogan! Y Brenin Arthur? Hy! Dydw i ddim wedi gweld lliw croen hwnnw ers canrifoedd. Y tro diwethaf i mi ei weld, roedd o’n cael ei gario i Ynys Afallon i wella o’i glwyfau!’

‘Wel, mi ddywedodd Heti Hylldrem, cogyddes Cegin Arthur, y byddech chi’n gallu’n helpu a’n rhoi ni ar ben ffordd,’ aeth Arddun yn ei blaen, er bod ei cheg yn sych grimp.

‘Hy! Hen drwyn busneslyd ydi’r Heti hyll ’na. Pa hawl oedd ganddi i’ch anfon chi ata i?’ tantrodd y Frenhines. ‘Dwi’n cyfaddef ’mod i’n ddynas ddoeth iawn, ac yn gwybod mwy na’r rhan fwyaf am hanes y byd a’r betws. Ond dydw i ddim yn gwybod POPETH, sti!’

‘O,’ atebodd Arddun yn siomedig.

‘Mae’n ddrwg iawn gennym ein bod wedi gwastraffu’ch amser chi, Eich Mawrhydi,’ gwaeddodd Llwyd, fel arwydd i Arddun adael llonydd i’r Frenhines.

Dechreuodd Llwyd, Arddun ac Wdull ddringo i fyny’r Llwybr Igam Ogam unwaith eto, heb syniad i ble roedden nhw’n mynd.

'Arhoswch funud!' galwodd y Frenhines ar eu holau. 'Falla y galla i'ch helpu chi wedi'r cyfan. Mae gen i ryw frith gof am hen fap sy'n dangos y ffordd i Ynys Afallon.'

'Map! Mae hynny'n newyddion gwych, Eich Mawrhydi,' atebodd Arddun wrth i'w llais atseinio dros y dyffryn. 'Oes modd i ni gael gweld y map 'ma?'

'Ia, wel, ro'n i'n amau braidd y basat ti'n holi hynny, dol,' atebodd y Frenhines yn betrusgar. 'Does gen i ddim syniad o gwbl ble mae'r map wedi'i guddio!' Daeth tinc hunandosturiol i'w llais. 'A dweud y gwir, dwi'n dechrau poeni braidd. Mae fy nghof wedi bod yn finiog fel rasel ers miliynau o flynyddoedd, ond rydw i'n methu'n lan â chofio'r pethau lleiaf y dyddiau hyn. Dwi'n amau bod stormydd trydanol Gedon Ddu yn cael effaith ar fy nghof innau hefyd.'

'O, triwch eich gorau i gofio . . . plîîîîîîs,' erfyniodd Arddun. Gwgodd Wdull arni am iddi fod mor hy.

'Capsiwl!' bloeddiodd y Frenhines fel bwled o wn. Dwi'n cofio rŵan! Mae'r map yn cuddio mewn Capsiwl Amser o dan ganolfan Hafod Eryri ar gopa'r Wyddfa,' bloeddiodd Brenhines yr Wyddfa yn orfoleddus.

8

Y Chwalwyr

Mewn cawell copr yng nghanol ogof o ystafell, syllai dau lygad pŵl i'r pellter. Roedd yr ystafell, rywle yng nghrombil y mynydd, yn fwrlwm o ddynion mewn siwtiau rwber gwyn. Syllent ar sgriniau eu cyfrifiaduron a'u peiriannau cymhleth. Llithrodd drws trydan yn agored a cherddodd dyn pwysig yr olwg i mewn. Anelodd am y cawell a chyfarch y rhai o'i gwmpas.

'Wel, Chwalwyr, sut mae pethau'n datblygu yma?' holodd.

Daeth un o'r dynion ato a'i ateb. 'Dim newid, mae arna i ofn, Barchus Brif Weinidog. Mae'n dal i wrthod siarad.'

Cododd Jac Offa gaead ei fwgwd a syllu i fyw llygaid Bedwyr. Edrychai hwnnw fel anifail gwyllt yng ngharchar ei gawell copr.

'Henffych, Bedwyr, un o farchogion ffyddlonaf y Brenin Arthur. Sut wyt ti'n teimlo i fyny fan yna? Ar ben dy ddigon, siŵr o fod! Ha ha ha!' chwarddodd Jac Offa'n wawdlyd.

Syllodd Bedwyr yn wag arno.

'Dyma bris dy ystyfnigrwydd, mae arna i ofn. Y cyfan oedd yn rhaid i ti ei wneud oedd arwyddo'r Gorchymyn pan ddaeth fy swyddogion draw neithiwr, a dangos ble mae'r porth i Afallon. Yna ni fyddai'n rhaid i ni fod wedi dy herwgipio a dod â thi yma.

'Rŵan, rwyt ti mewn perygl o golli dy gartref a'th gof, ac ni fydd neb ar ôl i rwystro Gedon Ddu rhag gorchfygu'r byd. Rwyt ti wedi bod yn dwp iawn, hen ŵr!'

Cerddodd Jac Offa yn nes at y cawell a syllu i fyny.

'Dyma dy gyfle olaf di, Bedwyr. Dyweda wrthym ble mae'r porth, er mwyn i ni gael ei ddinistrio unwaith ac am byth!' mynnodd Jac Offa.

'Yn enw'r Brenin Arthur, ni ddatgelaf hynny BYTH!' atebodd Bedwyr yn gadarn.

Culhaodd llygaid Jac Offa nes bod canhwyllau ei lygaid fel dau lafn miniog. Trodd at y dynion mewn siwtiau rwber gwyn.

'Chwalwyr, cynyddwch y cerrynt!' gorchmynnodd. 'Rhowch sioc arall i'w system!'

9

Hafod Eryri

Tywynnai'r haul fel pelen o dân dros yr Hudfyd, gan daflu gwawr oren a phinc dros bopeth. Yn y pellter roedd tri silwét yn llusgo'n lluddedig i fyny'r llwybr i gopa'r Wyddfa. Roedden nhw'n anelu at ganolfan Hafod Eryri oedd yn sgleinio yn y pellter.

'Hei! Siapia hi 'nei di? Rwyt ti fel malwen mewn col-tar!' meddai Arddun yn bigog wrth Llwyd. 'Mi fydd yn nos erbyn i ni gyrraedd y copa, ac yn rhy dywyll i ni ddechrau chwilio am y Capsiwl Amser.'

Agorodd Llwyd ei geg i'w hateb yn ôl, ond brathodd ei dafod. Doedd ganddo ddim owns o egni ar ôl i ddechrau dadlau efo Arddun Gwen. Byddai'n siŵr o golli'r ddadl beth bynnag! Sbonciodd deigryn i'w lygaid. Byddai wrth ei fodd yn rholio'i hun yn belen fach a diflannu o'r golwg. Yna, pan fyddai'n deffro o'r hunllef yma, byddai'n ôl yn ei wely ym Mhorth Afallon. Byddai Ewythr Bedwyr yn chwyrnu yn yr ystafell drws nesaf, a byddai popeth yn iawn unwaith eto.

Ond, yn anffodus, gwyddai nad breuddwyd oedd hyn. Realiti'r sefyllfa oedd bod ei goesau'n gwegian ar ôl yr holl gerdded, a'i stumog yn griddfan o eisiau bwyd. Roedd Arddun Gwen yn swnian arno'n ddiddiwedd, a'r byd o'i gwmpas wedi troi'n hollol wallgof! Ochneidiodd. Pam na allai bywyd Llwyd Cadwaladr fod yn NORMAL?

✦ ✦ ✦

Pan gyrhaeddodd y tri y copa, cawsant siom anferth wrth weld arwydd 'AR GAU TAN Y PASG' yn hongian ar ddrws Hafod Eryri.

'Be 'nawn ni rŵan?' holodd Llwyd yn drist. Teimlai fod pethau'n mynd o ddrwg i waeth.

'Defnyddia dy ddychymyg, yn lle bod mor barod i roi'r ffidil yn y to bob tro,' atebodd Arddun. Cwpanodd ei dwylo o amgylch ei llygaid er mwyn ceisio gweld i mewn drwy'r ffenestri. 'Mae'n siŵr bod 'na ryw ffordd o dorri i mewn i'r adeilad,' ychwanegodd.

'Ble mae Wdull?' holodd Llwyd gan edrych o'i gwmpas. 'Roedd o yma funud yn ôl.'

'Dyma fi!' meddai Wdull mewn llais tawel wrth iddo agor drws ar ochr ddwyreiniol yr adeilad.

'Sut ffeindiest ti dy ffordd i mewn?' holodd Llwyd mewn rhyfeddod.

'Gwasgu fy hun drwy grac o dan y seiliau,' atebodd Wdull yn ddidaro.

Cofiodd Llwyd fel yr arferai astudio'r pryfed lludw yn ei ystafell wely. Roedden nhw'n gallu gwasgu'u hunain drwy dyllau cyfyng iawn yn y waliau a'r lloriau. Diolchodd fod Wdull efo nhw'n gwmni ar y daith ryfedd hon.

Cerddodd y tri i mewn i ganolfan Hafod Eryri a rhyfeddu at yr olygfa anhygoel o'u blaenau. Drwy wal wydr y ffenestri, ymestynnai'r wlad yn fynyddoedd a llynnoedd bendigedig o'u blaenau. Yna, cofiodd Arddun yn sydyn nad oedd wedi cael unrhyw beth i'w fwyta ers oriau. Dechreuodd chwilio am y gegin.

'Tybed oes 'na fwyd yn yr oergell? Mae'n rhaid i ni gael egni os ydan ni am barhau ar y daith boncyrs yma i ddod o hyd i'r Brenin Arthur. Ac mi fuaswn i wrth fy modd yn cael tipyn o bowdrfwyd sy'n blasu fel teisen siocled! Mmmm . . .' meddai gan rwbio'i bol.

'Ond beth am y Capsiwl? Ble yn y byd mae dechrau chwilio amdano?' holodd Llwyd, gan gerdded o gwmpas yr adeilad a thapian y paneli pren ar y waliau i weld a oedd sŵn gwagle yno'n rhywle. Ni sylwodd Llwyd nac Arddun ar Wdull yn troi ei hun yn bry lludw bach er mwyn mynd i chwilio am y Capsiwl rhwng y rhigolau yn y paneli llechi ar y llawr.

'Bwyd gyntaf, chwilio wedyn,' mynnodd Arddun yn awdurdodol gan fartsio i mewn i'r gegin. Ond buan y stopiodd yn ei hunfan wrth i lais byddarol daranu dros y lle.

'PWY . . . PWY ar wyneb yr Wyddfa ydych CHI? A beth yw eich busnes yn fy nheyrnas I?'

Edrychodd Llwyd ac Arddun o'u cwmpas mewn dychryn, ond doedd dim golwg o neb yn unman. Rhuodd y llais unwaith eto.

'ATEBWCH, chi Feidrolion gwan!'

Edrychodd Arddun draw at Llwyd – roedd yn wyn fel y galchen, a golwg fel petai ar fin llewygu arno. Felly doedd dim amdani ond ceisio rhesymu efo'r llais ei hun.

'Rydan ni yma i chwilio am Gapsiwl Amser sy'n cynnwys map,' sibrydodd Arddun yn ddewr. 'Bydd y map yn dangos y ffordd i Ynys Afallon, lle mae'r Brenin Arthur yn aros amdanon ni.

Rydan ni angen ei help i rwystro Cymru rhag cael ei difetha am byth.'

'Y Brenin Arthur!' poerodd y llais. 'Dyna enw sy'n brifo fy nghlustiau. Rhag eich cywilydd chi, yn yngan yr enw yna o 'mlaen i! Wyddoch chi ddim hefo PWY rydach chi'n siarad?'

Ysgydwodd Arddun a Llwyd eu pennau heb fod yn siŵr iawn ble i edrych. Roedd y llais yn eu hamgylchynu o bob cyfeiriad.

'Rhita Gawr ydi'r enw. Rydw i'n gawr mawr creulon a milain, ac yn gwarchod yr Wyddfa a'i chriw. Does dim yn well gen i na rhyfela a dinistrio a mwynhau blas gwaed Meidrolion yn diferu rhwng fy nannedd. Arrrrr!' chwyrnodd y llais yn gas.

Neidiodd Arddun mewn braw, gan afael ym mraich Llwyd.

'Ha ha! Ia, crynwch chi yn eich esgidiau, Feidrolion bach! Hen genna brwnt ydi Rhita Gawr, O ia! Mae PAWB yn yr holl Hudfyd yn gwybod hynny ac yn fy ofni. Dwi wedi lladd degau o frenhinoedd dros y blynyddoedd, ac er mwyn eu gwawdio rydw i wedi gwneud mantell o'u barfau. Ond mae un farf y mae'n rhaid i mi ei chael eto ar gyfer fy mantell o flew brenhinoedd Cymru – ac un y Brenin Arthur ydi honno! Felly dywedwch chi wrth Rhita ble mae o'n cuddio, neu bydd yn rhaid imi dorri eich tafodau!'

'Dydan ni ddim yn gwybod,' atebodd Arddun yn grynedig. 'Dyna pam rydan ni'n chwilio am y map sy'n cuddio yn y Capsiwl rywle yn Hafod Eryri.'

'Capsiwl? Map? Am be wyt ti'n sôn, y Feidrol-ferch wirion?' poerodd y llais. 'Rŵan 'ta! Bydd Rhita Gawr yn cyfri i dri. Ac os na fyddwch chi wedi diflannu o 'ngolwg i erbyn imi orffen, bydd yn rhaid imi eich bwyta mewn un llowc! Pob un wan jac ohonoch chi. Un. Dau. Tri . . .'

Yn sydyn, daeth sŵn crafu ac ymgripian o dan y lloriau y tu ôl i'r cownter bwyd. Cyn i neb sylweddoli beth oedd yn digwydd, cododd un o baneli'r llawr fel caead jac-yn-y-bocs. Allan o'r twll, ymddangosodd helmed dywyll Wdull a'i deimlyddion bach. Yn ei ddwylo daliai'r Capsiwl Amser dur.

'Hwrê! Da iawn, Wdull! Rwyt ti wedi dod o hyd i'r Capsiwl!' gwaeddodd Arddun gan anghofio popeth am y llais bygythiol.

'Awwwwwwwwtshhhhh!'

Daeth sŵn cwynfan tawel o'r tu ôl i'r cownter. Roedd grym y panel pren, wrth iddo godi, wedi taflu rhywun fel bwled i'r awyr. Syllodd Llwyd, Arddun ac Wdull yn hurt ar yr olygfa o'u blaenau.

Yno, yn griddfan yn y gornel, roedd corrach pitw bach yn rhwbio'i ben. Gwisgai gôt werdd a mantell siabi iawn a edrychai fel petai wedi'i gwneud o flew bras, tebyg i flew llygod mawr. Gwisgai het goch am ei ben gyda band glas amdani, a phluen aur Eryr Eryri yn codi fel simnai ohoni.

Ac yn ei law, daliai uchelseinydd!

10

Rhitw Bitw

'Pwy wyt ti?' arthiodd Arddun gan gerdded at y corrach a'i brocio. Cyrliodd hwnnw'n belen fach, yna edrychodd i fyny arnynt gyda'i lygaid ci bach yn erfyn am dosturi.

'Awww. Naaaaa! Peidiwch â'i frifo FO,' gwichiodd y corrach mewn llais trwynol, hollol wahanol i'r llais fu'n taranu arnynt trwy'r uchelseinydd.

'Ateb fy nghwestiwn i 'ta,' gorchmynnodd Arddun. 'Pwy wyt ti, a ble mae Rhita Gawr?'

'Mae Rhita Gawr yn ei fedd ers canrifoedd,' atebodd y corrach gan fentro codi ar ei eistedd. 'Cafodd ei gladdu yma ar y mynydd. Dyna sut y cafodd yr Wyddfa ei enw – ystyr Gwyddfa ydi bedd, sef Bedd Rhita.'

'Diddorol iawn, Bych! Ond wnes i ddim gofyn am wers hanes,' meddai Arddun yn goeglyd a'i llygaid cath yn fflachio. 'Felly, os ydi Rhita Gawr wedi marw, pam ddywedaist ti wrthon ni mai dyna pwy oeddet TI? Heb sôn am ein twyllo ni trwy ddefnyddio uchelseinydd i chwyddo dy lais! Wel, esbonia dy hun!'

'R-r-roedd arno FO eich o-o-ofn chi,' mwmialodd y corrach. 'Nid yn aml y bydd Meidrolion yn ymweld â'r Hudfyd. R-r-roedd arno ofn eich bod yn mynd i'w f-f-frifo FO!'

'Wel, mi rwyt ti'n haeddu dy gosbi ar ôl ein twyllo ni fel yna, y gwalch bach,' gwgodd Arddun, ond tybiai Llwyd o dôn ei llais ei bod yn dechrau meddalu. 'Olreit 'ta. Mi gei di faddeuant y tro hwn,' aeth yn ei blaen, 'os gwnei di esbonio wrthon ni pwy wyt ti?'

Cododd y corrach ar ei draed a moesymgrymu. 'Rhitw Bitw, gor-gor-gor-gor-ŵyr Rhita Gawr, ydi O, Miss, at eich g-g-gwasanaeth.' Bu bron iddo â baglu dros flaenau'i esgidiau a oedd yn cyrlio i fyny at ei drwyn main.

Teimlai Llwyd dosturi dros y corrach bach. Roedd yn greadur od iawn yr olwg ac roedd hefyd yn mynnu cyfeirio ato'i hun yn y trydydd person, fel FO. Tybiai Llwyd nad oedd ganddo ryw lawer o hunanhyder. Mae'n siŵr bod ei faint pitw wedi bod yn gymaint o siom iddo os mai ei freuddwyd oedd dilyn ôl troed ei berthynas, Rhita Gawr!

'Dwi'n siŵr na fydd Rhitw'n trio'n twyllo ni eto,' gwenodd Llwyd yn garedig. 'Mae'n edrych fel petai o wedi dysgu'i wers.'

'Byth eto syr . . . a Miss, mae O yn a-a-ddo, cris croes tân poeth,' gwichiodd Rhitw gan wneud siâp croesi â'i fys ar draws ei frest.

Yn sydyn, daeth sŵn clencian uchel wrth i gaead dur agor yn araf. Roedd Wdull wedi llwyddo i agor y Capsiwl Amser ac roedd wrthi'n syllu'n syn ar y cynnwys.

Roedd y dyddiad 2009–2059 wedi'i ysgythru ar y caead, a'r pennill yma mewn ysgrifen gain:

Aeth hanner canrif heibio –
Hwrê am i ti fy ffeindio!
A yw'r hyn sydd yn fy mol
Yn taro'n anarferol?

'Dydi hynna'n gwneud dim sens,' meddai Llwyd gan grafu'i ben.

'O, paid â bod mor dwp, 'nei di Llwyd!' meddai Arddun yn ddiamynedd. 'Mae'r ystyr yn hollol amlwg i unrhywun hefo tipyn o frêns!' A dechreuodd egluro'r cyfan iddo, fel athrawes yn esbonio i blant bach fod un ac un yn gwneud dau.

'Fe gladdwyd y Capsiwl Amser yn ôl yn y flwyddyn 2009 pan agorwyd canolfan Hafod Eryri am y tro cyntaf. Mae'n llawn o hoff bethau plant Cymru o'r flwyddyn honno, fel bod modd i ni gymharu sut mae pethau wedi newid erbyn 2059, hanner canrif yn ddiweddarach. Hy, hawdd!'

'Ond Arddun, does 'na ddim hanner canrif wedi mynd heibio. Dim ond 2050 yw hi!' meddai Llwyd yn ymosodol. 'Rydan ni naw mlynedd yn rhy gynnar!'

'Be wyt ti'n awgrymu y dylen ni neud felly, Einstein? Rhoi'r Capsiwl yn ôl dan y llawr? Sut down ni o hyd i'r map sy'n cuddio y tu mewn wedyn, y twpsyn?'

Roedd yn gas gan Llwyd gyfaddef hynny, ond roedd gan Arddun bwynt dilys. Amneidiodd at y Capsiwl Amser. 'Mae'n well i ni edrych be sy tu mewn, felly,' simsanodd.

Tynnodd Arddun y gwrthrychau allan bob yn un. Roedd yna ffôn symudol oedd yn hen ffasiwn iawn yr olwg o'i gymharu â'r sgrin sgwrsio a ddefnyddiai pawb yng Nghymru erbyn hyn. Rhyfeddodd Arddun a Llwyd at y darn punt, a'r papurau deg ac ugain punt. Doedd neb yn defnyddio arian erbyn y flwyddyn 2050, dim ond cardiau plastig. Roedd yno hefyd rai eitemau ffasiwn, fel tei ysgol o'r cyfnod a sbectol haul, rhywbeth nad oedd neb yn ei gwisgo bellach oherwydd nad oedd Cymru'n cael llawer o dywydd braf. Dim ond stormydd geirwon a llifogydd oedd i'w cael drwy gydol y flwyddyn.

Roedd hi'n amlwg mai hoff awdur plant Cymru yn 2009 oedd T. Llew Jones, gan fod nifer o gopïau o'i lyfrau yn y Capsiwl.

'Pwy goblyn ydi Lady Gaga?' holodd Arddun yn syn. Daliai CD yn ei llaw gyda llun dynes wyllt iawn yr olwg ar y clawr.

'A phwy yn y byd ydi Bryn Fôn a Gwyneth Glyn?' pendronodd Llwyd gan dynnu mwy o CD's o grombil y Capsiwl.

'Wel, mae hyn i gyd yn ddiddorol iawn, ond wela i ddim golwg o fap yn unman,' ochneidiodd Arddun.

'Ydach chi'n siŵr eich bod wedi chwilio'n drwyadl?' holodd Wdull yn swil. 'Falla ei fod o'n cuddio yn un o'r llyfrau.'

Bodiodd Llwyd drwy dudalennau nofel *Trysor Plasywernen* gan T. Llew Jones am ychydig, cyn bloeddio'n falch.

'Hei! Dyma fo!' meddai gan chwifio hen ddarn

o bapur wedi melynu uwch ei ben. 'Diolch, Wdull.'

Cyrcydodd y tri ar y llawr o amgylch y map, oedd yn amlwg yn pontio rhwng bydoedd y Meidrolfyd a'r Hudfyd. Roedd rhywun wedi marcio croesau bychain yma ac acw. Yn hanner y Meidrolfyd o'r map, roedd croesau yn dynodi lleoliad tyddyn Porth Afallon a Ffynnon Cegin Arthur yng ngwaelod yr ardd. Roedd croesau hefyd i ddynodi lleoliad y Senedd a'r Bae.

Roedd hanner arall y map yn dangos yr Hudfyd. Yma roedd croes i ddangos Cegin Arthur, a llun o'r Llwybr Igam Ogam yn nadreddu'i ffordd at odre'r Wyddfa. Roedd croesau ar yr Wyddfa i ddangos safle Brenhines yr Wyddfa a Hafod Eryri. Yna, yn ddwfn yng nghrombil yr Wyddfa, plethai labrinth o dwneli tanddaearol blith draphlith drwy'i gilydd. Arweiniai'r rheiny at groes fawr ddu ar gornel chwith y map. O dan y groes roedd yr enw 'YNYS AFALLON'.

'Mae'n amhosibl gwneud pen na chynffon o'r map 'ma,' ebychodd Llwyd yn siomedig. 'Drychwch ar yr holl dwneli tanddaearol 'ma. Sut yn y byd y gallwn ni ddod o hyd iddyn nhw . . . heb sôn am ffeindio'n ffordd drwyddyn nhw?'

'Hy-hym, e-e-esgusodwch fi, syr . . . Miss . . . falla y gallai O eich helpu chi.'

Yn y cyffro o ddod o hyd i'r Capsiwl a'r map, roedd pawb wedi anghofio'n llwyr am Rhitw Bitw.

'Sut, felly?' holodd Arddun yn swta.

'Wel, gan ei fod O wedi byw o dan yr Wyddfa am flynyddoedd lawer, mae O yn adnabod y twneli tanddaearol fel cefn ei law,' atebodd Rhitw Bitw.

Edrychodd Arddun a Llwyd ar ei gilydd ac yna ar Wdull. Syllai'r pryfddyn yn amheus iawn ar y corrach bach.

'Be amdani?' holodd Llwyd.

'Does ganddon ni fawr o ddewis,' atebodd Arddun. Trodd at y corrach a dweud, 'Rhitw Bitw, rwyt ti'n dod hefo ni ar ein taith i Ynys Afallon.'

11

Y Senedd

Eisteddai Gwen Jones, y gwleidydd enwog, wrth ei desg yn y Senedd, gan syllu'n freuddwydiol draw dros y Bae tuag at y morglawdd. Roedd lefel y dŵr yn codi'n beryglus o uchel, ac roedd yn dal i fwrw glaw yn drwm. Gwyddai Gwen fod y Bae mewn perygl, ac y byddai hynny wedyn yn agor y llifddorau i foddi Cymru gyfan.

Fflachiodd mellten arall gan oleuo'r nos. Byth ers i'r storm dorri y noson honno, teimlodd Gwen Jones gur yn hollti'i phen. Bron y taerai fod rhyw rym goruwchnaturiol yn ceisio rheoli'r tywydd, ond gwyddai fod hynny'n syniad hurt bost.

Aeth yn ôl at ei desg i astudio'r ddogfen oedd yn gorwedd yno. Roedd ganddi ddigon o broblemau yn barod heb orfod poeni am y tywydd. Ei phroblem fwyaf, yn ddi-os, oedd Jac Offa, Prif Weinidog Prydain! Roedd y dyn yn gur pen ynddo'i hun! Am ryw reswm, roedd yn gas ganddo Gymru ac roedd yn gwneud hynny'n berffaith glir.

Roedd Jac Offa'n benderfynol o ddymchwel y Senedd, a sicrhau nad oedd neb yn ymweld â Chymru. Dyna pam ei fod yn bwriadu adeiladu ffyrdd uwchddaearol – gallai pawb osgoi'r wlad wedyn. Ni fyddai neb yn mynd yno i wario arian nac agor busnesau, ac yn fuan byddai Cymru'n genedl dlawd iawn.

Ond roedd Gwen Jones yn benderfynol o atal cynlluniau Jac Offa. Dyna pam ei bod wedi teithio i'r Senedd ar noson mor stormus. Roedd wedi clywed si bod swyddogion Jac Offa'n rhoi Gorchymyn i bobl adael eu cartrefi er mwyn iddyn nhw gael adeiladu'r ffyrdd uwchddaearol dros eu tir. Roedd yn rhaid iddi roi STOP ar ei gynlluniau – a hynny ar unwaith!

Ond roedd rhywbeth arall yn poeni Gwen Jones. Teimlai'n euog iawn ei bod wedi gorfod gadael ei merch unwaith eto oherwydd ei gwaith. Gwyddai fod Arddun yn saff yng ngofal Nanw; wedi'r cyfan, roedd y nani wedi bod yn gofalu am Arddun er pan oedd hi'n fabi bach. Ond roedd ar bob merch angen ei mam. Daeth awydd drosti i gysylltu ag Arddun er mwyn dymuno 'nos da' iddi. Byddai gweld wyneb ei merch yn goleuo sgrin fach y sgrin sgwrsio yn siŵr o godi'i chalon.

Tynnodd y teclyn o'i bag. Gwyddai y byddai Arddun yn dal i wylio'i sgrin sgwrsio yn ei hystafell wely, er y byddai Nanw wedi dweud wrthi droeon am ei ddiffodd. Un ystyfnig fel mul oedd Arddun Gwen – fel ei mam.

Fflach! Treiddiodd grym y fellten nesaf yn ddwfn i ymennydd Gwen Jones. Anghofiodd bopeth am gysylltu ag Arddun Gwen.

✦ ✦ ✦

'Ha, ha! Dyna ddysgu gwers i ti am roi dy drwyn yn fy musnes i!' chwarddodd Jac Offa yn faleisus.

Tafluniwyd lluniau ar y panel o fonitorau o'i flaen o Gwen Jones yn edrych o'i chwmpas yn ddryslyd.

''Mhen dim o dro mi fyddi di – Gwen Jones – wedi anghofio pwy wyt ti. Heb sôn am drio rhoi stop ar ein cynlluniau ni i ddinistrio Cymru!'

'Gwaith da, was ffyddlon,' meddai Gedon Ddu, a'i lais yn atseinio drwy grombil y mynydd.

'Pleser, O Greulonaf Un,' swcrodd Jac Offa ei

feistr. 'Mae'n hen bryd i ni ddechrau ar y gwleidyddion. Wedi'r cyfan, does dim awduron ar ôl. Mae eu cof nhw i gyd wedi chwalu, felly fydd na ddim rhagor o lyfrau Cymraeg i'w darllen. Mae hynny'n golygu yn y pen draw y bydd yr iaith Gymraeg yn marw ar ei thraed.'

'Campus!' meddai Gedon Ddu yn ganmoliaethus.

'Ac mae'r Chwalwyr eisoes hanner ffordd drwy gof yr athrawon. Ha, ha! Bydd hi'n ArmaGEDON ar Gymru fach cyn i neb sylweddoli be sy wedi digwydd!' chwarddodd Jac Offa'n orfoleddus.

12

Y Twneli Tanddaearol

Arweiniodd Rhitw Bitw y criw hanner ffordd i lawr yr Wyddfa, gan ddilyn llwybr defaid diarffordd yn ddigon pell o drac rheilffordd y trên bach a'r prif lwybr, nes dod at garreg siglo. Roedd y garreg wedi bod yno ers Oes yr Iâ, ddeng mil o flynyddoedd yn ôl. Rhyfeddodd Llwyd at ei maint anferth. Cofiodd ddarllen yn un o hen lyfrau Ewythr Bedwyr bod cydbwysedd y garreg mor berffaith fel ei bod yn siglo mewn gwynt cryf.

Eisteddodd Llwyd ac Arddun i lawr i orffwys gan wylio'r haul yn codi'n belen goch dros y mynyddoedd. Dechreuodd Rhitw dyrchu'n wyllt o gwmpas godre'r garreg.

'Pssst, Roli-Poli, helpa FO i symud y pridd 'ma,' sibrydodd ar Wdull.

Teimlai'r pryfddyn yn flin. Doedd o heb gymryd at y corrach o'r dechrau, a dyma fo rŵan yn galw enwau arno!

'Wdull ydi'r enw, *nid* Roli-Poli,' meddai'r pryfddyn yn swta.

'Ia, ia, beth bynnag,' wfftiodd Rhitw Bitw'n bowld. 'Does 'na'm amser i bwdu. Mae'n rhaid dod o hyd i geg yr ogof o dan y garreg 'ma, ac mae gen ti bedair coes ar ddeg. Dim ond dwy law sy ganddo FO!'

Dechreuodd y ddau gloddio nes dod o hyd i geg yr ogof.

'Hei, chi'ch dau, dewch yn eich blaenau! Mae O wedi dod o hyd i'r ogof sy'n arwain at y twneli tanddaearol,' gwaeddodd Rhitw Bitw o'r diwedd, gan chwifio'i fraich ar Llwyd ac Arddun.

'O, da iawn ti Rhitw,' canmolodd Llwyd.

Gwgodd Wdull. Wedi'r cyfan, y fo oedd wedi gwneud y rhan fwyaf o'r gwaith cloddio caled, a dyma'r corrach bach yn cymryd y clod i gyd! Tynnodd Rhitw'i dafod yn slei arno.

'Mae'r agoriad yn gyfyng iawn, felly bydd rhaid i chi'ch dau wasgu'ch hunain drwyddo,' esboniodd Rhitw gan gyfeirio at yr hollt o dan y garreg siglo.

'Ond cyn i ni fynd i mewn, gwrandewch yn ofalus ar be sy ganddo FO i'w ddweud,' ychwanegodd mewn llais difrifol. 'Beth bynnag wnewch chi, PEIDIWCH â chwibanu na rhegi tra byddwn ni o dan y ddaear. Os gwnewch chi hynny, mi fyddwn ni i gyd mewn andros o drwbl. Deall?'

Nodiodd Llwyd ac Arddun eu pennau, gan deimlo braidd yn ddryslyd.

Roedd Rhitw Bitw yn llygad ei le – *roedd* yr agoriad i'r ogof yn gul ac yn gyfyng. Stryffagliodd y ddau Feidrolyn i wasgu'u hunain drwy'r hollt. Roedd ofn ar Llwyd y byddai'n taro'i ben yn erbyn nenfwd y garreg. Llithrodd y ddau arall i mewn yn rhwydd – roedd Rhitw'n ddigon bychan, a throdd Wdull ei hun yn bryf lludw bach.

O'r diwedd, roedd pawb i mewn yn yr ogof, a'r tywyllwch yn drwch o'u cwmpas. Roedd hi'n drybeilig o oer yno hefyd, ac roedd sŵn dŵr i'w glywed yn diferu yn rhywle yn y pellter. Teimlodd Llwyd ei frest yn tynhau – roedd yn gas ganddo lefydd cyfyng. *Beth os na alla i anadlu? . . . Be os ydw i ar fin cael fy nghladdu'n fyw o dan y ddaear? . . .* Caeodd ei lygaid yn dynn. *Paid â bod yn gymaint o fabi clwt, 'nei di!* ceryddodd ei hun. Erbyn hyn roedd ei lygaid wedi dechrau ymgynefino â'r tywyllwch a gallai weld amlinell gweddill y criw'n diflannu o'i flaen.

'Hei, arhoswch amdana i!'

Hei, arhoswch amdana i!

Hei, arhoswch amdana i!

Hei, arhoswch amdana i!

Adleisiai ei lais fel sain organ mewn Eglwys Gadeiriol. Dilynodd sŵn eu hanadlu a chrensian eu traed.

Ar ôl cerdded am amser maith i lawr twnnel oedd yn gul, ond yn ddigon uchel iddynt allu cerdded yn dalsyth ynddo, daethant at siambr lydan. Roedd hollt o olau'n ffrydio i mewn drwy grac yn y nenfwd gan ysgafnhau ychydig ar y tywyllwch. Fforchiai twneli llai i bob cyfeiriad allan o'r siambr, fel coesau octopws.

'Pa ffordd rŵan?' holodd Arddun gan edrych yn obeithiol ar Rhitw Bitw.

Rhoddodd hwnnw un o'i fysedd tewion yn ei geg a'i sugno am ychydig eiliadau. Yna daliodd ei fys yn uchel yn yr awyr.

'Ia, dyna ni, y de-ddwyrain. Dyna lle'r oedd y groes oedd yn dangos Ynys Afallon ar y map. Felly, y ffordd hon â ni, gyfeillion. Pawb i ddilyn Rhitw Bitw!' meddai'n llon.

Arweiniodd y criw at geg twnnel nad oedd fawr mwy na chylch hwla, fel y rhai a ddefnyddiai Llwyd ac Arddun yn y gwersi ymarfer corff yn yr ysgol. Tynnodd Llwyd anadl ddofn. Roedd y twnnel mor gul fel bod yn rhaid iddo gropian drwyddo ar ei bedwar. Mewn rhai mannau roedd yn ymlusgo ar ei fol fel Siani Flewog ar hyd y llawr oer a gwlyb. Roedd arno angen ei holl nerth i wthio'i hun ymlaen wrth iddo deimlo'i hun yn mynd yn ddyfnach ac yn ddyfnach i berfedd y ddaear. Dyrnai'r pwysau yn ei glustiau a daeth teimlad o arswyd ofnadwy drosto. Dechreuodd deimlo'n benysgafn. *Llwyd Cadwaladr, bydd yn gryf. Nid dyma'r lle i lewygu, droedfeddi o dan y ddaear*, rhesymodd wrtho'i hun. *Meddylia am rywbeth sy'n dy wneud di'n hapus. Cana gân i godi dy galon!*

Ar hynny, sbonciodd ei hoff gân i'w feddwl a dechreuodd chwibanu'r alaw'n hamddenol. Ymhen dim o dro teimlai'n llawer iawn gwell.

CNOC. CNOC. CNOC.

Daeth sŵn ergydio uchel o rywle yng nghrombil y graig.

13

Y Cnocwyr

'Hisht! Pwy sy'n chwibanu?' holodd Rhitw Bitw'n gynhyrfus.

'Wps, sori,' ymddiheurodd Llwyd o'r cefn. 'Mae chwibanu'n gwneud i mi deimlo'n well. Dydw i ddim yn teimlo'n gyfforddus mor ddwfn i lawr yn y ddaear.'

'Pathetig!' mwmialodd Arddun Gwen yn dawel, ond yn ddigon uchel i Llwyd ei chlywed.

'Cofiwch be ddywedodd O wrthoch chi,' erfyniodd Rhitw'n daer. 'Dim chwibanu na rhegi. Dyna'r ddau beth sy'n siŵr o wylltio'r Cnocwyr!'

'Y Cnocwyr?! Pwy goblyn ydi'r rheiny?' wfftiodd Arddun. Roedd hi wedi blino'n lân ac eisiau gorffwys.

Erbyn hyn roedden nhw wedi slywenu allan o'r twnnel cul ac yn sefyll ar waelod grisiau a ddringai'n serth i fyny'r clogwyn. Safodd pawb yn eu hunfan am ychydig i gael eu gwynt atynt.

'Y tylwyth teg tanddaearol ydi'r Cnocwyr,' eglurodd Rhitw. 'Maen nhw'n byw o dan y ddaear mewn cloddfeydd fel pyllau glo a chwareli llechi, ac yn gwybod am leoliad pob gwythïen werthfawr o fwyn.

'Maen nhw'n dylwyth teg tu hwnt o gyfeillgar fel arfer, a dim ond dau beth sy'n eu gwylltio, sef chwibanu a rhegi. Mae'r ddau beth yna'n eu gwneud yn wyllt gaclwm! Does dim byd gwaeth na Chnocwyr cas – mi fedra i'ch sicrhau chi o hynny! Felly mae'n well i ni ei heglu hi o 'ma cyn iddyn nhw ein dal . . .'

Dechreuodd pawb ddringo i fyny'r grisiau carreg serth, llithrig. Ond hanner ffordd i fyny llithrodd Arddun gan syrthio'n glewt.

'Drap a drat!' llefodd, wrth udo mewn poen.

CNOC. CNOC. CNOC. CNOC. CNOC.

Gorchuddiodd pawb eu clustiau rhag clywed y sŵn cnocio a morthwylio byddarol. Ond roedd hi'n rhy hwyr. Roedd y Cnocwyr wedi cael eu gwylltio, ac roedden nhw â'u bryd ar ddial.

'Dewch, brysiwch!' hysiodd Rhitw Bitw wrth i'w esgidiau coch cyrliog ddiflannu'n gyflym i fyny'r grisiau.

'Awwwtshhhh, fedra i ddim symud. Dw i wedi crafu fy mhen-glin yn ddrwg ac mae hi'n gwaedu fel mochyn!' gwaeddodd Arddun gan frwydro i ddal y dagrau'n ôl.

Ond yn sydyn daeth sŵn llais o rywle i roi taw ar ei chwyno.

'PWY sy'n meiddio troedio'n tir a tharfu ar ein heddwch? Ac yn fwy na hynny, pwy sy'n mynnu ein SARHAU ni?' taranodd y llais.

Ar y platfform o graig ar dop y grisiau, ymddangosodd criw o ddynion bach crwn, pob un yn gwisgo barclod lledr am ei ganol. Yn eu dwylo tewion roedd morthwyl ac ebill a chŷn, sef offer cloddio'r chwarelwyr ers talwm. Roedd golwg fygythiol iawn ar bob un ohonyn nhw wrth iddynt amgylchynu'r criw o bob cyfeiriad. Daeth un ohonynt i sefyll ar grib y graig ac edrych i lawr arnynt.

'Pwy ydach chi, a be ydy'ch busnes yn nheyrnas y Tylwyth Tanddaearol?' holodd, a'i lais yn diasbedain o'u cwmpas.

'Rhitw Bitw, gor-gor-gor-gor-ŵyr Rhita Gawr, at eich gwasanaeth syr,' atebodd y corrach gan wthio'i hun i'r blaen, heibio Wdull. Gwgodd y pryfddyn arno.

'Mae'n wirioneddol ddrwg gennym ein bod wedi'ch pechu chi. Fe ddywedodd O wrthyn nhw yn ddigon clir am beidio chwibanu na rhegi. Ond fel y gwyddoch, rhai gwael am dderbyn cyngor ydi'r Meidrolion,' meddai'n wamal.

'Diolch, Rhitw!' hyffiodd Arddun dan ei gwynt gan rwbio'i phen-glin oedd wedi chwyddo fel pêl dennis.

'Pam ydach chi yma? Nid pawb sy'n mentro drwy labrinth y twneli tanddaearol. Mae'n hen le peryglus iawn, ac mae'n hawdd mynd ar goll ynddyn nhw,' rhybuddiodd y Cnociwr.

'Rydyn ni ar daith i Ynys Afallon i geisio dod o hyd i'r Brenin Arthur,' eglurodd Llwyd yn nerfus, gan deimlo'i bengliniau'n clecian yn erbyn ei gilydd. 'Y fo ydi'r unig un a all achub Cymru rhag cael ei dinistrio gan ddrwg-weithredoedd Gedon Ddu.'

Roedd pobman yn gwbl dawel am ychydig, yna dechreuodd y Cnocwyr sibrwd yn uchel ymysg ei gilydd.

'Tawelwch!' gwaeddodd eu harweinydd, gan godi ei forthwyl yn awdurdodol i'r awyr. 'Rydan ninnau hefyd yn ymwybodol o gynlluniau dieflig Gedon Ddu i drio meddiannu'r Meidrolfyd. Ac fel y gŵyr pawb, dim ond mater o amser fydd hi cyn iddo droi ei olygon at yr Hudfyd hefyd,' meddai'r arweinydd yn bwyllog. 'Mae hynny'n naturiol yn ein poeni ni'n fawr.'

‘Fe ddaethon ni o hyd i fap wedi’i guddio o dan ganolfan Hafod Eryri,’ ychwanegodd Llwyd. ‘Roedd yn ein harwain drwy’r twneli tanddaearol hyn ar ein ffordd i Afallon.’

‘Ac mae O wedi cytuno i’w helpu nhw,’ meddai Rhitw Bitw’n ymffrostgar.

Dechreuodd yr arweinydd ymgynghori’n dawel gyda gweddill y Cnocwyr.

‘Mae eich stori’n swnio’n un ddilys a gwrol,’ meddai. ‘Byddem yn falch iawn o’ch helpu chi.’

‘O dan y llynnoedd yn y mynyddoedd mae twneli tanddwr, lle mae’r Torgoch hynafol yn byw. Pysgodyn unigryw i lynnoedd yr Wyddfa yw’r Torgoch. Mae o mor hen â’r mynydd ei hun. Bu’n nofio’r dyfroedd ers Oes yr Iâ, ac fe all eich arwain i Ynys Afallon at Arthur. Dewch gyda ni.’

‘Plîîîîîîis helpwch fi, alla i ddim symud. Mae fy mhen-glin yn rhy boenus,’ griddfanodd Arddun.

Camodd arweinydd y Cnocwyr i lawr y grisiau ati. Rhoddodd ei law dew i mewn i hollt yn y graig a thynnu llond dwrn o olew naturiol seimlyd o’r gilfach. Dechreuodd ei rwbio ar friw Arddun. Ymhen dim roedd y gwaed a’r graith wedi diflannu’n llwyr, er mawr syndod i bawb.

‘Mi fyddi’n iawn rŵan,’ meddai gan wenu’n garedig arni. ‘Diolch i Fenyn y Tylwyth!’

14

Taith ar y Torgoch

Dilynodd y criw y Cnocwyr wrth iddynt dreiddio'n ddwfn i fol y mynydd. Teimlai Arddun ysfa i biffian chwerthin wrth wylio'r dynion bach tew yn cerdded – edrychent fel haid o bengwiniaid yn wadlan o ochr i ochr – ond penderfynodd beidio. Byddai'n beth anghwrtais iawn i'w wneud, yn enwedig gan eu bod mor barod i'w helpu.

Yn sydyn, daeth sŵn dwndwr dŵr i'w clustiau. Wrth iddyn nhw droi cornel, daethant wyneb yn wyneb â rhaeadr danddaearol anferth yn rhuthro dros wyneb y graig. Syrthiai'r dŵr i bwll gwyrddlas, dwfn iawn yr olwg.

'Dyma ddiwedd y daith,' meddai arweinydd y Cnociwr. 'Dymunwn y gorau i chi.' A throdd ar ei sawdl yn sydyn, gyda gweddill y Cnocwyr yn ei ddilyn.

'Arhoswch funud!' gwaeddodd Llwyd ar eu

holau. 'Sut byddwn ni'n dod o hyd i'r pysgodyn Torgoch 'ma?'

'Mae'n aros am eich galwad,' adleisiodd llais y Cnociwr yn y pellter.

'O, grêt!' hyffiodd Arddun gan rolio'i llygaid. 'A sut yn y byd mae rhywun i fod i alw ar bysgodyn? *Hei bysgi-wysgi, tyrd yma sblishi-sblashi!*' cynigiodd yn goeglyd. 'Hy! Be 'nawn ni rŵan?' Plethodd ei dwylo o'i blaen yn bwdlyd.

'Mae angen i un ohonoch chi roi eich pen o dan y dŵr a galw arno,' meddai Wdull yn bendant. 'Yna fe ddaw'r Torgoch atoch i'ch cyrchu.'

''Chlywodd O erioed y fath lol,' wfftiodd Rhitw Bitw gan edrych i lawr (neu yn hytrach i fyny!) ei drwyn main ar Wdull. 'Be wyt ti'n drio'i wneud, eu boddi nhw?'

Ond gallai Llwyd weld bod y pryfddyn o ddifri, ac roedd yn ymddiried yn llwyr yn Wdull.

'Fe wna i,' meddai gan fynd ar ei gwrcwd ar lan y pwll yng ngwaelod y rhaeadr.

Yn araf, rhoddodd Llwyd ei wyneb ac yna ei ben yn gyfan o dan y dŵr. Disgwyliai iddo fod yn rhewllyd o oer, ond mewn gwirionedd roedd yn gynnes fel dŵr baddon. Mentrodd agor ei lygaid yn araf gan synnu ei fod yn gallu gweld yn glir i mewn i'r dŵr. Roedd popeth o liw emrallt hudolus a disglair. Sylweddolodd Llwyd ei fod yno'n syllu ers rhai munudau, a hynny heb orfod brwydro am ei anadl. Tynnodd yr ocsigen i mewn trwy'i drwyn a'i geg – roedd yn gallu anadlu o dan y dŵr! Roedd yn brofiad arallfydol!

Agorodd ei geg a gweiddi, 'Fy enw i ydi Llwyd Cadwaladr. Mae fy ffrindiau a minnau'n gobeithio galw ar y Torgoch hynafol i'n helpu ni ar ein taith i Ynys Afallon.'

Arhosodd ychydig funudau am ymateb, ond doedd dim symudiad o gwbl yn y dŵr. Yn sydyn, teimlai Llwyd ddwylo'n gafael yng nghefn ei grys ac yn ei dynnu o'r dŵr.

'Be wyt ti'n drio'i wneud, y ffŵl gwirion – boddi dy hun 'ta be?' gwaeddodd Arddun arno. 'Mae dy ben di wedi bod o dan y dŵr ers dros ddeng munud. Be wyt ti'n feddwl wyt ti, pysgodyn?!'

'Mae'n fendigedig i lawr yna,' atebodd Llwyd, a'i lygaid yn disgleirio. 'A chredi di byth – mae'n bosib anadlu o dan y dŵr!'

'Paid â bod mor wirion, y –' dwrdiodd Arddun eto cyn stopio ar ganol y frawddeg.

Dechreuodd wyneb y dŵr grychu. Fflachiai

darnau o liw coch llachar ar hyd waliau llaith y graig a amgylchynai'r pwll, fel goleuadau bach mewn disgo. Roedd y lle i gyd fel petai wedi'i foddi gan belydrau machlud haul. Yna, yn sydyn, cododd pysgodyn anferth o ganol y pwll gan eu trochi i gyd at eu crwyn. Roedd ei fol yn goch tanbaid a'r cen ar ei gefn yn sgleinio fel ceiniogau newydd sbon. Arhosodd y pysgodyn yn ei unfan, gan edrych i fyw eu llygaid. Yna trodd ar ei ochr a chrymu ei gefn enfawr. O ran maint, roedd gymaint â deg morfil cefngrwm.

'Mae o am i ni ei farchogaeth,' meddai Wdull.

'Dim ffiars o beryg!' protestiodd Arddun, gan gymryd cam yn ôl.

'Pwy sy'n bod yn fabi clwt rŵan!' meddai Llwyd yn goeglyd. 'Pa ddewis arall sy ganddon ni?'

Un ar ôl y llall, dringodd y criw ar ben y Torgoch. Gafaelodd Arddun yn dynn yn asgell y cefn wrth i'r pysgodyn blymio'n ddwfn i'r dyfroedd.

'Waaaawwww!' gwaeddodd Llwyd.

'Wiiiiiiiiii!' gwichiodd Rhitw Bitw.

'Aaaaaaaaaaa!' sgrechiodd Arddun.

Fel arfer, doedd dim smic i'w glywed gan

Wdull. Eisteddai yn y blaen, fel peilot, yn llywio'r Torgoch.

Torrodd y Torgoch fel cyllell arian drwy'r dŵr. Gallai'r criw deimlo'r dŵr yn dyrnu yn eu clustiau, a churai eu calonnau'n wyllt gyda holl wefr y profiad.

'Mae hyn yn hollol ffantastig!' gwaeddodd Arddun Gwen gan roi cic ysgafn i ystlys y Torgoch i wneud iddo symud hyd yn oed yn gyflymach.

Bu'r criw'n teithio drwy'r twneli tanddwr am amser hir, hir. Dechreuodd eu hamrannau deimlo'n drwm iawn, ac ymhen dim roedden nhw wedi'u hudo i drymgwsg.

Yn sydyn, cafodd pawb eu chwipio ar dir sych gan gynffon nerthol y Torgoch. Heb unrhyw arwydd, diflannodd y pysgodyn dan y tonnau.

'Ble yn y byd ydan ni?' holodd Llwyd gan rwbio'i lygaid.

Roedden nhw'n sefyll ar dir sych, gyda dŵr o'u cwmpas ym mhobman.

'Mi ddywedwn i ein bod ni wedi cyrraedd Ynys Afallon!' cyhoeddodd Arddun, a'i llygaid fel soseri.

15

Y Gwas Ffyddlon

Rhuai'r peiriannau dur yn un confoi swnllyd tuag at dyddyn Porth Afallon. Roedden nhw'n teithio yno dan orchymyn Jac Offa er mwyn chwalu'r lle. Roedd angen y tir er mwyn adeiladu'r ffordd uwchddaearol i Brifddinas Prydain. Ond roedd rheswm arall hefyd pam fod y Prif Weinidog dichellgar yn awyddus i ddinistrio hen dyddyn Porth Afallon.

Gwyddai Jac Offa a Gedon Ddu mai yn rhywle ar dir y tyddyn roedd yr unig fynediad i Ynys Afallon, ond doedd ganddyn nhw ddim syniad ymhle yn union. Os byddai'r dewisedig rai yn ffeindio'u ffordd drwy'r porth hwnnw, byddai'n eu harwain i Afallon. Yno roedd y Brenin Arthur – yr unig Un a allai atal eu cynlluniau – yn aros amdanyn nhw gyda'r allwedd i achub Cymru.

Gwyddai Jac Offa a Gedon Ddu fod yn rhaid iddyn nhw wneud popeth posibl i rwystro hynny rhag digwydd. Fel arall, doedd dim gobaith i'w cynllun dieflig i deyrnasu dros yr holl Feidrolfyd a'r Hudfyd lwyddo. Roedd Bedwyr, un o farchogion Arthur, wedi gwrthod rhannu'r gyfrinach am leoliad y porth hefo nhw. Ei gosb, felly, oedd cael chwalu ei gof. Y cam nesaf oedd dinistrio'r tyddyn fel na fyddai neb yn gallu dod o hyd i'r porth. Ac os oedd rhywrai eisoes wedi digwydd dod o hyd iddo, ac wedi mynd drwyddo, yna roedd yn rhaid gofalu na fyddai'n bosibl iddyn nhw ddychwelyd i'r byd hwn BYTH eto.

✦ ✦ ✦

Canodd ffôn gwyrdd rywle yng nghrombil y mynydd, ac aeth dyn mewn siwt rwber wen i'w ateb.

'Ti sy 'na,' cyfarchodd y llais. 'Sut mae pethau'n mynd?'

Lledodd gwên dros wyneb Jac Offa wrth iddo wrando ar neges perchennog y llais ar yr ochr arall.

'Mae'r cynllun yn mynd fel wats, felly. Ac rwyt ti'n gwneud dy waith yn burion, was ffyddlon. Bydd dy wobr yn fawr!' canmolodd y llais cyn rhoi'r derbynnydd i lawr.

Edrychodd Jac Offa i gyfeiriad Bedwyr, a oedd yn dal i fod yn garcharor fel anifail yn ei gawell. Doedd dim ymateb nac emosiwn o gwbl ar wyneb yr hen ŵr. Roedd Bedwyr fel petai wedi cael ei drechu'n llwyr.

16

Ynys Afallon

Roedd arogl y gwymon gwlyb yn llenwi eu ffroenau. Doedd dim siw na miw i'w glywed ac eithrio sŵn y tonnau yn llyfu'r traeth.

'Sut gwyddost ti mai Ynys Afallon ydi fan hyn?' gofynnodd Llwyd yn heriol i Arddun gan edrych o'i gwmpas yn amheus. 'Mi allen ni fod yn unrhyw le!'

Roedd yr ynys ar siâp morfil anferth, gyda bythynnod bach gwyngalchog wedi'u gwasgaru yma ac acw. Roedd yno gapel a goleudy hefyd i'w gweld yn y pellter. Gwthiai ambell forlo busneslyd ei ben allan o'r dŵr i weld beth oedd ystyr yr holl stŵr ac i weld pwy oedd y criw yma o ddieithriaid oedd newydd lanio ar yr ynys.

'Oes rhaid i chdi fod mor negyddol am BOPETH, Llwyd Cadwaladr?' gwylltiodd Arddun. 'Wrth gwrs mai Ynys Afallon ydi fan hyn. Lle arall y gall fod? Ac mi ddywedodd y

Cnocwyr y byddai'r Torgoch yn dod â ni yma, yn do!' rhuodd.

Synhwyrodd Wdull fod yna ffrae arall yn ffrwtian rhwng y ddau, felly aeth i sefyll rhyngddynt.

'Be am i ni edrych ar y map?' cynigiodd yn dawel, gan estyn y darn papur roedd wedi ei gadw'n saff dan ei gragen.

'Syniad da, Roli-Poli,' meddai Rhitw Bitw'n wawdlyd.

Astudiodd y pedwar y map yn ofalus. Dododd Arddun ei bys paent ewinedd du ar y man a ddangosai ganolfan Hafod Eryri ar gopa'r Wyddfa. Llusgodd ei bys ar hyd y llinellau a ddangosai'r twneli tanddaearol a arweiniai yn y pen draw at y rhaeadr. Yna o'r pwll o dan y rhaeadr drwy'r twneli tanddwr oedd yn nadreddu eu ffordd o dan y llynnoedd a'r môr tuag at y groes a farciai leoliad Ynys Afallon. Wrth edrych yn fanylach ar y map, gwelsant fod yr ynys yn wir ar siâp morfil anferth. Roedd yno groes fechan i ddangos bod capel ar yr ynys, a llun goleudy ar y pentir.

'Dyna ni, be ddywedais i?' meddai Arddun yn foddhaus. 'Does dim amheuaeth o gwbl mai fan hyn ydi Ynys Afallon. Mae'n hollol glir ar y map,' meddai gan bwyntio'n awdurdodol. 'Rŵan, yr unig beth mae'n rhaid i ni neud ydi dod o hyd i'r Brenin Arthur. Does dim posib ei fod yn bell iawn. Does 'na fawr o lefydd i guddio ynddyn nhw yma!' ychwanegodd.

Penderfynodd Llwyd roi clo ar ei dafod. Y gwir amdani oedd, yn dawel bach teimlai'n eiddigeddus iawn o Arddun Gwen. Roedd hi wastad yn byrlymu o frwdfrydedd ac yn llawn hunanhyder. Doedd dim byd yn broblem ganddi, a gwyddai'n union beth i'w wneud nesaf. Er bod yn gas ganddo gyfaddef hynny, byddai'n hoffi bod yn debycach i Arddun. Roedd wedi cael llond bol ar fod mor llwfr a dihyder, yn cilio i'w gragen bob tro roedd yn rhaid iddo wynebu sefyllfa anodd. Byddai'n rhoi unrhyw beth am fedru magu asgwrn cefn a bod yn berson mwy dewr a chryf!

Ond doedd dim amser i'w wastraffu ar fod yn hunandosturiol. Roedd Arddun Gwen eisoes yn taflu cyfarwyddiadau at bawb.

'Rhitw, dos di i edrych yn y bythynnod . . .'

'Wdull, mi gei di fynd i'r traeth i chwilio am ogofâu. Mae rhai'n dweud bod Arthur yn cysgu mewn ogof efo'i farchogion yn aros, yn barod i gael ei ddeffro pan ddaw'r alwad i achub Cymru,' esboniodd.

'A Llwyd, ty'd ti hefo fi i chwilio yn y goleudy a'r capel . . . Pawb i ailymgynnull yn y bwthyn yn fan acw pan fydd yr haul yn machlud. Ocê?'

Nodiodd pawb yn ufudd.

Cerddodd Llwyd ychydig gamau y tu ôl i Arddun Gwen, heb yngan bŵ na be. Cychwynnodd hithau'n fân ac yn fuan i gyfeiriad y goleudy, a'r awel ffres yn chwythu ei gwallt hir, tywyll i bob cyfeiriad.

✦ ✦ ✦

Heblaw am ryfeddu at y golygfeydd hudolus, ni ddaeth Arddun a Llwyd ar draws unrhyw gliwiau yn y goleudy a fyddai'n help i'w harwain at y Brenin Arthur. Dringodd y ddau'n benisel i lawr y grisiau carreg.

'Falla bod Rhitw ac Wdull yn cael gwell lwc,' meddai Llwyd gan wneud ei orau i fod yn bositif.

'Mi awn ni draw i'r capel i weld a ddown ni o hyd i rywbeth yno,' atebodd Arddun gan frasgamu ymlaen.

Gwyddai Llwyd ei bod yn ceisio cuddio'r siom

yn ei llais. Wedi'r cyfan, roedden nhw wedi bod ar antur anhygoel a byddai'n drueni petaen nhw'n methu ar ôl iddyn nhw ddod mor bell.

Roedd cymylau duon wedi dechrau cronni uwchben, ac roedd arogl glaw yn yr awyr.

'Well i ni frysio, mae'n mynd i dywallt unrhyw funud!' meddai Arddun.

Roedd y llwybr a arweiniai tuag at y capel yn garped o laswellt meddal dan draed. Sbeciai blodau haul dros y cloddiau carreg gan roi naws hudolus i'r lle. Trodd Llwyd ddolen fawr bres ar y drws derw trwm, a'i wthio'n agored. Yn syth bìn, saethodd ias anesboniadwy i lawr cefnau'r ddau wrth iddynt gamu dros y trothwy llechen. Roedd rhyw naws ysbrydol iawn yma, fel petai yna ryw bwerau goruwchnaturiol ar waith. Roedd y capel wedi'i oleuo gan ffrwd o olau a ddeuai drwy ffenestr liw bendigedig, a honno'n glytwaith o ddarnau o wydr coch, glas, melyn a gwyrdd.

'Ty'd! Dydw i ddim yn bwriadu aros yma'n rhy hir. Mae'r lle'n codi arswyd arna i,' sibrydodd Arddun heb fod yn rhy siŵr pam ei bod yn gostwng ei llais.

Aeth Llwyd i edrych yng nghefn y capel ond doedd dim sôn am unrhyw gliwiau. Clywodd ambell wich yn dod o gyfeiriad yr organ wrth i Arddun Gwen edrych yn y fan honno, a chlywai sŵn stomp-stompio ei thraed wrth iddi chwilio am drapddrws cudd yn llawr y capel.

'O, mae hyn yn anobeithiol!' ebychodd Arddun gan suddo i'r Sedd Fawr. 'Falla nad ydi'r Brenin Arthur yn bodoli o gwbl. Myth ydi o, siŵr o fod.' Ceisiodd guddio'i dagrau o siom rhag Llwyd. 'Falla bod rhywun wedi'n harwain ni yma ar siwrnai seithug er mwyn gwneud hwyl ar ein pennau ni. Wel, ha-ha, jôc dda, pwy bynnag ydach chi!' chwyrnodd.

Yna sbonciodd ar ei thraed yn sydyn.

'Ty'd, mi awn ni i chwilio am weddill y criw er mwyn ffeindio'n ffordd yn ôl i'r flwyddyn 2050. Dwi wedi cael llond bol ar yr antur wallgo bost 'ma!'

Ond erbyn hyn roedd wedi dechrau bwrw glaw yn drwm, a'r dafnau'n fflangellu to'r capel a'r ffenestr liw anferth. Llwyddodd Llwyd i berswadio Arddun i aros hyd nes byddai'r gawod wedi cilio, gan obeithio y byddai hynny'n rhoi cyfle iddi ddod ati'i hun. Roedd yn beth anarferol iawn i weld Arddun yn bod mor negyddol. Yn wir, roedd yn dechrau poeni amdani. Roedd rhan ohono hefyd yn dechrau amau bod Arddun yn llygad ei lle. Beth os oedden nhw wedi cael eu harwain ar daith ofer? Beth os mai twyll oedd y cyfan? Beth os nad oedd y Brenin Arthur yn bodoli o gwbl? Beth os na fydden nhw'n gallu ffeindio'u ffordd yn ôl i'r Meidrolfyd a'r flwyddyn 2050?

Daeth teimlad trwm o anobaith dros Llwyd. Suddodd wrth ochr Arddun yn y Sedd Fawr a'i ben yn ei ddwylo.

17

Y Brenin Arthur

Mae'n rhaid eu bod wedi pendwmpian, oherwydd pan ddeffrodd Llwyd ac Arddun roedd y capel yn dywyll. Gwenai lleuad lawn drwy'r ffenestr liw gan roi rhywfaint o olau iddynt.

'Sut buon ni mor flêr â syrthio i gysgu?' gofynnodd Arddun yn flin. 'Mi fydd Wdull a Rhitw'n methu deall lle rydan ni.'

Cododd ar ei thraed wrth siarad, ond teimlodd fraich Llwyd yn ei thynnu'n ôl ar ei heistedd yn syth.

'Hei!' protestiodd.

'Hisht,' sibrydodd Llwyd. 'Sbia . . . draw wrth y ffenest.'

Parlyswyd y ddau wrth weld pelydr o olau gwyn llachar yn llifo i mewn drwy'r ffenestr liw. Roedd yn fwy disglair na golau'r lleuad, ac yn fwy iasol. Roedd y golau'n cryfhau bob eiliad, a chododd Llwyd ac Arddun eu breichiau i amddiffyn eu llygaid. Pan feiddiodd y ddau edrych drachefn, roedd yn anodd ganddynt gredu'r hyn oedd yn ymddangos o'u blaenau.

Yn raddol, roedd siâp dyn yn ymffurfio yn y ffenest fawr liw. Syrthiai ei wallt claerwyn yn donnau ewynnog o gwmpas ei ysgwyddau. Dawnsiai ei lygaid fel wybren yn llawn sêr ar noson glir. Roedd coron ac arni batrwm Celtaidd am ei ben, a gwisgai arfwisg arian dyllog. Safai'n dalsyth gan bwyso ar ei gleddyf arian enfawr.

'Fy mhlant,' meddai mewn llais cryf, 'rwyf wedi bod yn aros amdanoch.'

Teimlodd Llwyd ei galon yn llenwi â gobaith unwaith eto. Doedd dim amheuaeth o gwbl – hwn *oedd* y Brenin Arthur, ac roedden nhw wedi llwyddo o'r diwedd i ddod o hyd iddo! Agorodd ei wefusau i'w gyfarch, ond teimlai ei geg yn sych grimp. Ac, fel arfer, fe enillodd Arddun Gwen y blaen arno!

'Pwy . . . pwy . . . ydach chi?' gofynnodd yn hy, gan geisio cuddio'r sioc yn ei llais.

Gwenodd y rhith drwy ei farf wen, laes. 'Myfi, fy merch, yw'r Brenin Arthur. Yr hwn y daethoch yma i geisio ei gyngor,' atebodd.

'Ond . . ond . . RHITH ydach chi. Ysbryd

mewn ffenest!' atebodd Arddun. 'Rydan ni wedi dod yma bob cam i Ynys Afallon i chwilio am y Brenin Arthur, y dyn o gig a gwaed, i'n helpu ni i achub Cymru. Pa iws ydi ysbryd i ni?'

'Arddun!' sibrydodd Llwyd, gan wgu arni.

'Fe wnaethoch chi addo y byddech chi'n dod yn ôl os byddai ar Gymru eich angen chi,' aeth Arddun yn ei blaen. 'Wel, mae ar Gymru eich angen chi RŴAN! Mae Gedon Ddu yn rheoli'r tywydd ac yn trio boddi'r wlad. Mae'r Senedd yn suddo, ac mae pobl Cymru yn dechrau colli eu cof. Felly, be 'dach chi'n mynd i neud i roi STOP ar y peth?'

Syllodd Llwyd yn gegrwth ar Arddun. Oedd hi wedi colli arni'i hun yn llwyr, yn rhoi llond pen o gerydd i'r Brenin Arthur, o bawb? Roedd ei llygaid yn fflachio, a chrynai fel deilen o'i chorun i'w sawdl.

Ond doedd dim arlliw o ddicter yn llygaid y Brenin Arthur.

'Rwy'n gweld eu bod wedi dewis yn ddoeth,' meddai gan wenu. 'Mae dy angerdd dros dy wlad yn glodwiw, fy merch. Mae tân yn dy eiriau, a'th hyder yn danbaid. Mae ar Gymru angen rhai fel ti.'

Yna, trodd Arthur ei sylw at Llwyd, a dweud,

'Ac fe wnaeth Bedwyr, fy marchog ffyddlon, yn dda i'th gymryd di dan ei adain, fy machgen. Mae dy wladgarwch yn fy nghyffwrdd. Mae dy obaith yn fy llonni. Teimlaf dy ffydd yn tanio dy galon.'

'Ond beth am . . ?' Torrodd Arddun ar ei draws eto.

Aeth y Brenin Arthur yn ei flaen. 'CHI ydi dyfodol Cymru, fy mhlant,' meddai. 'Chi, y bobl ifanc ddewr sy'n barod i wynebu pob perygl er mwyn sicrhau parhad yr hen wlad. Chi yw'r allwedd i ddyfodol Cymru. Os oes gennych chi ffydd ac angerdd a chariad tuag at Gymru, gallwch gyflawni unrhyw beth. Rwyf i yma i gadw fflam y ffydd yn fyw, ac i arwain y ffordd.'

'Dywedwch wrthon ni beth sydd angen i ni ei wneud,' meddai Llwyd. Trodd at Arddun ac roedd yr un penderfyniad yn llenwi ei llygaid hithau.

'Er mwyn trechu grym Gedon Ddu, mae angen i chi ddod o hyd i'r allwedd i galon Cymru,' esboniodd y Brenin Arthur yn bwyllog. 'Ond byddwch yn ofalus. Mae rhan beryclaf eich taith eto i ddod. Bydd yn profi eich dewrder i'r eithaf.'

'Ond ble mae'r allwedd?' holodd Llwyd.

'Mae hi'n cuddio mewn cleddyf sydd yn sownd

mewn maen. Mae'r maen yma ar fryn creigiog, serth a elwir yn Ddinas Emrys. Yn ddwfn mewn pant ar ben y bryn mae llwyfan crwn o garreg, ac ar y llwyfan yma mae dwy ddraig yn ymladd – un wen ac un goch. Maen nhw wedi bod yn ymladd ers miloedd o flynyddoedd, a does yr un ohonynt byth yn ennill. Eu prif swyddogaeth yw gwarchod yr allwedd i galon Cymru.'

Gwyddai Llwyd beth oedd y Brenin Arthur yn mynd i'w ddweud nesaf, a llyncodd ei boer yn araf.

'Dim ond llaw un o'r Meidrolion all dynnu'r cleddyf o'r maen er mwyn dod o hyd i'r allwedd. Mae hi'n dasg beryglus iawn, a hyd yma does neb wedi llwyddo i orchfygu'r ddwy ddraig a chyrraedd yr allwedd. Mae sgerbydau'r gwŷr dewr a geisiodd wneud yr union beth hynny'n garped o dan draed y dreigiau.'

Erbyn hyn, roedd calon Llwyd yn curo fel drwm a'r adrenalin yn pwmpio drwy'i wythiennau. Teimlai fel petai ei ysbryd ar dân. Ac yn rhyfedd iawn, doedd o ddim yn teimlo'r un ysfa arferol i rolio'i hun yn belen fach, fel yr arferai wneud pan deimlai dan fygythiad. Y tro hwn, roedd yn barod i wynebu'r her dros y Brenin Arthur. Dros ei gyd-ddyn. Dros Gymru.

'Dwi'n barod i ymladd i'r eithaf dros fy ngwlad,' meddai mewn llais cadarn, gan foesymgrymu o flaen rhith y Brenin Arthur.

'Boed i'th ffydd dy gynnal a'th gadw'n ddiogel, fy machgen,' meddai'r Brenin Arthur gan wenu. 'A thithau hefyd, fy merch,' ychwanegodd, gan gyfeirio at Arddun Gwen.

'Be fydd angen i ni neud ar ôl i ni ddod o hyd i'r allwedd?' holodd Arddun.

'Bydd angen mynd â hi i'w gorweddfan derfynol, yn y fan lle mae calon Cymru'n curo,' atebodd y Brenin Arthur.

'Ble mae hynny?' holodd Llwyd.

'Mae maen hud arall yn y Meidrolfyd, yn eich byd chi. Fe ddewch o hyd i'r maen yma wedi'i guddio mewn siambr sy'n ddwfn o dan y Senedd. Mae siâp yr allwedd wedi'i naddu i mewn i'r maen. Pan fyddwch yn gosod yr allwedd yma yn ei phriod le, bydd eich gorchwyl yn gyflawn. Fe welir y gobaith yn dychwelyd i'r tir, a bydd grymoedd tywyll Gedon Ddu yn cael eu trechu am byth.'

Ar hynny, pylodd y golau gwyn llachar o gwmpas y Brenin Arthur. Ymdoddodd y rhith i mewn i liwiau'r ffenestr fawr wydr gan chwalu'n niwl hudolus, amryliw.

18

Y FRWYDR FAWR

Cerddodd Llwyd ac Arddun allan o'r capel yn fud. Doedd yr hyn roedd y Brenin Arthur newydd ei ddweud wrthyn nhw heb dreiddio'n iawn i feddwl Arddun eto. Ond roedd golwg benderfynol yn llygaid Llwyd, a gwyddai'n union pa mor fawr oedd y dasg o'u blaenau. Roedd yn rhaid iddyn nhw lwyddo i ddod o hyd i'r allwedd yna os oeddynt am roi stop ar gynlluniau dieflig Gedon Ddu.

Roedd golau egwan cannwyll i'w weld yn ffenest un o'r bythynnod. Rhuthrodd y ddau draw tuag ato, gan sylweddoli mai yno roedd Wdull a Rhitw Bitw yn aros amdanynt.

Neidiodd Wdull ar ei draed pan glywodd glicied y drws yn codi.

'Dyma chi o'r diwedd!' ebychodd mewn rhyddhad. 'Dwi wedi bod yn poeni amdanoch chi. Ble 'dach chi wedi bod?'

'Mae'n stori hir,' esboniodd Llwyd gan edrych o'i gwmpas. 'Ble mae Rhitw Bitw?'

'Dydw i heb ei weld ers oriau,' atebodd Wdull yn amheus. 'Does wybod ble mae o, na be mae o wedi bod yn ei wneud dros yr holl amser 'ma.'

Ar y gair, camodd Rhitw Bitw dros drothwy'r drws. 'Dyma FO!' cyhoeddodd y corrach, yn wên o glust i glust. 'Pa newydd?'

'Mae'n rhaid i ni fynd i chwilio am le o'r enw Dinas Emrys,' meddai Arddun. 'Yn y fan honno mae 'na allwedd yn cuddio mewn cleddyf . . . ac mae hwnnw'n sownd mewn maen . . . ac mae 'na ddwy ddraig ffyrnig yn ei warchod . . .' Rhuthrodd Arddun fel trên dros ei geiriau, heb stopio i dynnu anadl!

Edrychodd Wdull a Rhitw Bitw'n ddryslyd arni.

'Brysiwch – rhaid i ni beidio â gwastraffu amser. Mae'n rhaid i ni adael yr ynys ar unwaith,' ategodd Llwyd gan gychwyn am y drws.

'Ond sut?' gwichiodd Rhitw Bitw. 'Rydan ni wedi'n hamgylchynu gan ddŵr!'

Edrychodd Llwyd ac Arddun ar ei gilydd gan sylweddoli'n sydyn nad oedd ganddyn nhw syniad sut i ffeindio'u ffordd o Ynys Afallon i Ddinas Emrys. Doedden nhw heb feddwl ymlaen mor bell â hynny – ac roedd yn ffordd bell iawn i nofio!

'Wel, yn yr un ffordd yn union ag y daethon ni yma,' atebodd Wdull yn ddoeth.

Sgrechiodd Arddun, gan daflu'i breichiau o gwmpas y pryfddyn. 'Wdull, ti'n werth y byd!' llefodd.

Edrychodd Llwyd a Rhitw Bitw'n hurt arni.

'Y Torgoch, wrth gwrs, y twpsod!' bloeddiodd Arddun. 'Rhaid i ni alw ar y Torgoch i fynd â ni draw yno!'

Y tro hwn, gwirfoddolodd Arddun i roi ei phen o dan y dŵr a galw ar y Torgoch. Mewn amrantiad, ymddangosodd y pysgodyn anferth hynafol o'u blaenau, a'u gwahodd i gamu ar ei gefn.

✦ ✦ ✦

Taflodd y Torgoch ei farchogion fel crempogau i'r awyr â'i gynffon nerthol. Glaniodd y criw ar ddarn o laswellt meddal, ac erbyn iddyn nhw godi ar eu traed roedd y pysgodyn rhyfeddol wedi diflannu o dan y dŵr unwaith eto.

'Diolch, Torgoch,' gwaeddodd Arddun gan chwifio'i llaw yn hapus.

Ond buan iawn y diflannodd ei gwên. Edrychodd o'i chwmpas yn araf a saethodd ias i lawr ei chefn. Roedd cymylau duon yn rhwystro pelydrau'r haul rhag torri drwodd, gan wneud i'r creigiau serth o'u cwmpas edrych hyd yn oed yn fwy tywyll a bygythiol. Roedd y coed derw trwchus fel petaen nhw'n cau amdanynt fel byddin o filwyr, ac uwch eu pennau roedd cylch o adar ysglyfaethus yn hofran yn awchus. Roedd y tir oddi tanynt yn crynu fel petai yna ddaeargryn yn rhwygo'r ddaear.

'Ych a fi, dwi ddim yn bwriadu aros yn fa'ma 'run funud yn hirach,' mynnodd Arddun gan droi ar ei sawdl. 'Os mai Dinas Emrys ydi fan hyn, mae'r lle fel uffern ar y ddaear!'

'Arhoswch amdano FO!' ymbiliodd Rhitw Bitw gan ruthro ar eu holau.

Ond arhosodd y ddau yn eu hunfan pan ddechreuodd y ddaear ysgwyd unwaith eto. Yna daeth sŵn sgrechiadau iasol i'w clustiau gan fferru'r gwaed.

'Mae 'na ymladd ffyrnig rhwng y ddwy ddraig,' esboniodd Wdull gan edrych i fyny at dop y bryn. 'Dyna sy'n gwneud i'r ddaear ysgwyd.'

'Mwy o reswm fyth i adael y lle yma, felly!'

ebychodd Rhitw Bitw. 'Dydi O ddim yn ffansïo bod yn bryd o fwyd i unrhyw ddraig farus, diolch yn fawr!'

'Does ganddon ni ddim dewis os ydan ni am roi stop ar gynlluniau Gedon Ddu,' meddai Llwyd yn gadarn, gan edrych i gyfeiriad y bryn. 'Ond dwi'n deall eich ofnau. Felly, dwi'n fodlon mentro i ganol y dreigiau ar fy mhen fy hun i drio cael gafael ar y cleddyf a'r allwedd.'

'Dwi'n dod hefyd!' mynnodd Wdull. Gwenodd Llwyd yn ddiolchgar ar y pryfddyn.

Syllodd Arddun ar Llwyd wrth iddo ddechrau dringo'r llwybr caregog. Roedd hi'n gawdel o deimladau cymysg. Yn wir, roedd yn anodd ganddi gredu'r hyn roedd hi'n ei weld ac yn ei glywed. Ai hwn oedd yr un Llwyd Cadwaladr, tybed? Y llipryn llwyd hwnnw oedd yn arfer cilio i'w gragen pan gâi ei fygwth gan fwlis fel Anaconda a Menna Main yn yr ysgol? Yr hogyn eiddil tenau hwnnw a oedd yn edrych fel petai arno ofn ei gysgod? Beth oedd wedi digwydd i'r hogyn diniwed oedd yn ofni dweud bŵ na be wrth neb? A dyma fo rŵan, yn barod i herio dwy ddraig ffyrnig oedd yn gwneud i Anaconda a Menna Main edrych fel dwy gath fach!

Llifodd ton o edmygedd drosti. Os oedd Llwyd

yn fodlon peryglu'i fywyd fel hyn er mwyn achub ei wlad, yna roedd yn ddyletswydd arni hithau i'w gefnogi.

'Hei!' gwaeddodd ar ei ôl. 'Arhosa amdana i!'

'Ac amdano FO!' adleisiodd Rhitw Bitw'n gyndyn, gan edrych yn anfodlon iawn ar Arddun.

✦ ✦ ✦

Dringodd y pedwar i ben y bryn, eu calonnau'n llamu wrth i sgrechiadau arswydus y dreigiau nesáu gyda phob cam. Ar ôl cyrraedd y copa, gorweddodd pawb ar eu boliau a mentro syllu dros ymyl y dibyn. Yno, ar lwyfan carreg yn ddwfn mewn crater oddi tanynt, roedd dwy ddraig anferth yn brwydro'n ffyrnig. Tasgai dafnau o waed i bob man, gan staenio croen rhychiog y ddraig wen. Roedd cefn cennog y ddraig goch yn ôl dannedd i gyd, a hongiai darnau rhydd o gnawd lle roedd y ddraig wen wedi eu rhwygo. Daliodd pawb eu gwynt wrth i'r ddraig goch ddefnyddio'i hadenydd i chwipio'r ddraig wen i'r llawr a'i thrywanu yn ei bol â'i chrafangau. Ond buan y cododd y ddraig wen ar ei thraed a llorio'r ddraig goch â sgrech annaearol. Caeodd Arddun ei llygaid yn dynn rhag gorfod gwylio'r olygfa erchyll.

'Drychwch, fan'cw,' meddai Llwyd gan bwyntio at ganol y llwyfan carreg lle'r oedd y ddwy ddraig yn ymladd. 'Dacw'r maen carreg, a'r cleddyf yn sownd ynddo.'

'Ond fedri di byth ei gyrraedd,' ebychodd Arddun. 'Mi fydd y dreigiau wedi dy lowcio di mewn chwinciad chwannen!'

'Pa ddewis arall sy 'na?' holodd Llwyd.

Roedd yn amlwg i bawb nad oedd am newid ei feddwl, felly dechreuodd Wdull dynnu'i gragen oddi ar ei gefn a'i hestyn i Llwyd.

'Defnyddia hon fel tarian i'th amddiffyn dy hun,' cynigiodd.

'Diolch, Wdull,' atebodd Llwyd.

'Ac mae O'n dymuno pob lwc iddo fo,' ychwanegodd Rhitw Bitw, gan ymestyn ar flaenau'i draed i daro Llwyd yn frawdol ar ei gefn.

Ond y syrpréis fwyaf i Llwyd oedd ymateb Arddun Gwen. Rhedodd ato gan daflu'i breichiau amdano. 'Ti mor ddewr!' ebychodd. 'Bydd yn ofalus, Llwyd!'

Ond y gwir amdani oedd nad oedd Llwyd Cadwaladr yn teimlo'n ddewr o gwbl. Roedd ei galon yn ei wddf, a doedd o erioed wedi teimlo mor ofnus yn ei fywyd. Tynnodd yr anadl i'w ysgyfaint a dechrau dringo i lawr y clogwyn i'r crater oddi tano.

Ar y dechrau, ni sylwodd y dreigiau ar ei gorff eiddil yn sleifio rhyngddyn nhw. Wedi iddo ochrgamu'n gelfydd fel chwaraewr rygbi i osgoi eu crafangau, eu hadenydd a'u tafodau, llwyddodd i gyrraedd y maen mewn un darn. Heb wastraffu eiliad, gafaelodd yn y cleddyf. Llithrodd hwnnw allan yn rhwydd o'r maen fel cyllell drwy fenyn. Roedd Llwyd wrth ei fodd – dyna ran gyntaf y dasg wedi'i chyflawni!

Ond, yn sydyn, ymddangosodd hollt yn y cymylau duon uwchben Dinas Emrys. Cydiodd pelydryn o'r haul yn llafn y cleddyf gan greu fflach o arian llachar. Tynnodd hynny sylw'r dreigiau, a stopiodd y ddwy ymladd am eiliad. Chwyddodd ffroenau'r ddraig wen i ddwywaith eu maint wrth iddi sylwi ar Llwyd yn sefyll yno gan ddal y cleddyf yn ei law. Dechreuodd y ddraig goch ysgwyd ei hadenydd a chwipio'i chynffon fforchog. Gwyddai Llwyd na allai wastraffu eiliad – roedd yn rhaid iddo adael RŴAN! Ond roedd ei goesau gwan yn gwrthod symud. Roedd wedi'i barlysu yn ei unfan.

Teimlodd y llawr yn crynu oddi tano, fel petai ar gastell bownsio, wrth i'r ddwy ddraig ruthro tuag ato. Dechreuodd chwifio'i ddwylo a'r cleddyf uwch ei ben mewn ymgais i'w amddiffyn ei hun. Ochrgamodd i osgoi crafangau'r ddraig wen a ddaeth o fewn trwch blewyn at ei drywanu. Penderfynodd gofleidio'r maen i geisio'i amddiffyn ei hun, a rhewodd yn ei unfan wrth i'r ddwy ddraig ddechrau ymladd uwch ei ben – y ddwy'n ymdrechu am y gorau i'w larpio'n fyw.

Clywodd Llwyd sŵn griddfan dolurus y ddraig goch wrth i'r ddraig wen suddo'i dannedd i'w hadain. Rholiodd ei chorff at ymyl y llwyfan carreg, gan adael Llwyd wyneb yn wyneb â'r ddraig wen. Cyn iddo sylweddoli beth oedd yn digwydd, roedd y ddraig wedi ei godi yn ei cheg gan ei ysgwyd o gwmpas fel doli glwt. Teimlai fel petai pob asgwrn yn ei gorff yn cael ei dorri'n ddarnau mân, a'i waed yn stopio llifo drwy'i wythiennau. Ni allai deimlo unrhyw beth heblaw carn cadarn y cleddyf a ddaliai'n sownd yng nghledr ei law. Disgleiriodd arian y llafn gan ei lenwi â chryfder newydd, a defnyddiodd pob gewyn yn ei gorff i roi nerth iddo blymio'r cleddyf yn ddwfn i wddf y ddraig wen.

Gollyngodd y ddraig sgrech gynddeiriog a syrthio i'r llawr gan daflu Llwyd yn erbyn y creigiau. Llithrodd yntau i'r llawr yn swp gwaedlyd, llonydd.

19

Caledfwlch

'Rhaid i ni fynd i'w helpu!' sgrechiodd Arddun, a'r dagrau'n powlio i lawr ei hwyneb.

Ond cyn iddi gael amser i godi ar ei thraed, gwyliodd mewn braw ar yr hyn a ddigwyddodd nesaf. Cododd y ddraig goch yn sigledig ar ei thraed a cherdded yn araf tuag at Llwyd. Camodd dros gorff celain y ddraig wen i'w gyrraedd, yna gwyrodd ei phen a gafael yn dyner yng nghorff Llwyd rhwng ei dannedd. Chwipiodd ei hadenydd a chodi i'r awyr gan anelu at weddill y criw. Wedi iddi gyrraedd copa'r bryn, gosododd y ddraig gorff Llwyd yn ofalus ar lecyn o wair rhyw ychydig fetrau oddi wrthynt. Yna hedfanodd i ffwrdd i gyfeiriad y creigiau eto, fel petai hi wedi cyflawni ei dyletswydd i helpu'r un oedd wedi achub ei bywyd.

Rhuthrodd pawb tuag at Llwyd, oedd â'i wyneb yn wyn fel y galchen. Teimlodd Arddun ei bwls, ac roedd yn wan iawn. Tywalltai'r gwaed o'r briw yn ei ochr lle roedd y ddraig wen wedi suddo'i dannedd i mewn iddo.

'Be 'nawn ni?' erfyniodd Arddun. 'Helpwch fi!'

'Drycha yn ei boced,' cynigiodd Wdull, gan wisgo'i gragen amddiffynnol yn ôl ar ei gefn. 'Fe ddoi di o hyd i'r ateb yno.'

Heb oedi dim, tyrchodd Arddun yn ddwfn ym mhoced Llwyd. Caeodd ei bysedd o amgylch potel fach wydr.

'Dŵr hud, iachusol Ffynnon Cegin Arthur!' ebychodd a'i llygaid yn gloywi. Dangosodd y botel wyrddlas i bawb gael ei gweld. 'Dŵr i wella pob clwyf dan haul . . . dyna ddywedodd Heti Hylldrem, cogyddes Cegin Arthur, ynte?'

'Does dim eiliad i'w cholli, felly,' ychwanegodd Rhitw Bitw. 'Tollta ychydig o'r dŵr ar ei glwyf i weld be ddigwyddith.'

Daliodd pawb eu gwynt wrth i Arddun agor y botel fach yn ofalus ac arllwys y dŵr hud ar friw Llwyd. Dechreuodd y dŵr gymysgu gyda'r gwaed a threiddio i mewn i'r briw. Am rai munudau, ni ddigwyddodd unrhyw beth. Ond, yn sydyn, dechreuodd y gwaed geulo wrth i'r briw leihau, ac ymhen dim roedd wedi diflannu'n llwyr.

Agorodd Llwyd ei lygaid yn araf a syllu'n gam ar ei ffrindiau.

'Be . . . be . . . ddigwyddodd?' holodd yn ddryslyd gan geisio codi ar ei draed. Ond syrthiodd yn syth i'r llawr fel ebol newydd ei eni, ei goesau'n rhy wan i'w ddal.

'Ara' bach rŵan,' meddai Rhitw Bitw'n gysurlon.

'Y cleddyf!' bloeddiodd Llwyd gan gofio'n sydyn. Edrychodd yn wyllt o'i gwmpas a rhoddodd ochenaid o ryddhad wrth weld y cleddyf hardd yn disgleirio wrth ei ymyl.

'Llwyd, ti'n arwr!' gwenodd Arddun yn falch arno. 'Mi lwyddaist i dynnu'r cleddyf o'r maen a dal dy afael arno. Ond mae'n gas gen i feddwl be fyddai wedi digwydd i chdi oni bai i'r ddraig goch dy helpu di.'

Gwrandawodd Llwyd yn astud wrth i'r gweddill egluro popeth wrtho. Clywodd pa mor ddewr y bu ar y dechrau, yn gwrthsefyll y ddraig wen. Yna pa mor agos y bu at gael ei ladd pan lwyddodd y ddraig wen i'w ddal a'i daflu yn erbyn y creigiau. A sut y llwyddodd y ddraig goch i'w gario'n ôl at ei ffrindiau yn ei cheg. Roedd yn anodd ganddo gredu'r hyn roedd yn ei glywed ond, yn ddistaw bach, teimlai ei frest yn chwyddo fel ceiliog balch. Doedd neb wedi galw Llwyd Cadwaladr yn arwr o'r blaen! Roedd yn deimlad cwbl newydd!

'Gwell i ni frysio,' awgrymodd Wdull. 'Mae amser yn brin, ac mae'n rhaid i ni ddod o hyd i'r allwedd 'na.'

Gafaelodd Llwyd yn y cleddyf a'i astudio'n fanwl. Yn y carn, gosodwyd gemau cain amryliw – rhai coch, gwyrdd a glas.

'Mae 'na rywbeth wedi'i ysgythru ar draws y canol,' sylwodd Arddun gan dynnu ei bys ar hyd yr enw. Teimlodd y llythrennau yn ffurfio'r gair . . .

Caledfwlch

'Caledfwlch!' ebychodd.

'Dyna enw cleddyf y Brenin Arthur,' meddai Llwyd mewn syndod, gan edrych yn edmygus ar yr arf enwog yn ei law. 'Roedd Arthur yn gwybod y byddai'r cleddyf yn fy helpu i drechu'r dreigiau.'

'Ond be am yr allwedd?' holodd Rhitw.

'Drychwch yn y carn,' awgrymodd Wdull.

Gan fod Wdull fel arfer yn llygad ei le, derbyniodd Llwyd ei gyngor. Defnyddiodd ei nerth bôn braich i drio tynnu ar y carn i'w agor, ond doedd dim modd ei symud. Bu'n straffaglu felly am rai munudau cyn penderfynu rhoi'r ffidil yn y to.

'Be rŵan?' tuchanodd, ei dalcen yn diferu o chwys.

Daeth Arddun i'w helpu a thynnu'r cleddyf oddi arno. Dechreuodd anwesu'r enw 'Caledfwlch,' gan dynnu'i hewinedd yn ôl ac ymlaen ar hyd yr ysgrifen hynafol. Ymhen dim, ffurfiodd hollt main rhwng y carn a'r llafn, a saethodd fflach o aur drwyddo. Daeth y carn i ffwrdd yn rhwydd yn llaw Arddun.

Ac yno, yn swatio yn ei ganol ac yn disgleirio'n llachar, roedd yr allwedd aur.

20

Brad

Roedd yr allwedd aur yn saff yn eu meddiant, ond doedd dim amser i'w wastraffu. Eu tasg olaf oedd mynd yn ôl i'r Meidrolfyd er mwyn gosod yr allwedd o dan y Senedd. Dyna'r unig ffordd i achub Cymru rhag cael ei dinistrio gan Gedon Ddu a'i ddihirod. Roedd y dasg yn cwympo ar ysgwyddau ifanc y dewisedig rai, Llwyd Cadwaladr ac Arddun Gwen, ac roedd y straen a'r tyndra'n amlwg ar eu hwynebau.

Clywsant sŵn siffrwd papur yn cael ei agor wrth i Wdull dynnu'r map o'i gragen unwaith eto.

'Y map, wrth gwrs!' meddai Arddun, wedi llonni drwyddi. Ond buan y pylodd ei brwdfrydedd wrth iddi fethu'n lân â gwneud pen na chynffon o'r llinellau, y croesau a'r saethau ar y map o'i blaen.

'O, mae hyn yn anobeithiol!' ildiodd. 'Be os na lwyddwn ni i ffeindio'n ffordd yn ôl i'r

Meidrolfyd? Mi fyddai'n rhaid i ni aros yma yn yr Hudfyd am byth!'

Brathodd ei thafod pan sylweddolodd ei bod yn siarad am gartref Wdull a Rhitw Bitw. 'Nid bod unrhyw beth yn bod efo'r Hudfyd, wrth gwrs,' simsanodd. 'Mae'n lle grêt . . . braidd yn od, falla . . . ond fedrwn ni ddim aros yma. Mi fydd pobl y Meidrolfyd yn poeni lle ydan ni,' ychwanegodd gan deimlo lwmp yn ei gwddf. Daeth pwl o hiraeth drosti am ei mam, a theimlodd Llwyd yr un hiraeth am ei ewythr ecsentrig.

'Hei, dowch rŵan,' meddai Rhitw Bitw'n llawen wrth weld wynebau trist y ddau Feidrol. 'Cofiwch, mae O yma i'ch helpu chi. Rŵan 'ta, gadewch i ni edrych yn fanwl ar y map 'ma eto. Drychwch, mae O'n gallu gweld bod 'na ragor o dwneli tanddaearol yn arwain o Ddinas Emrys yn ôl at droed yr Wyddfa, sef y fan lle cychwynnoch chi ar eich taith.'

Aeth Rhitw Bitw yn ei flaen yn frwdfrydig. 'Mae'n rhaid iddo FO gyfaddef nad ydi O'n gyfarwydd iawn â'r twneli yma gan eu bod nhw'n rhai newydd. Ond mae O wedi bod am dro ar eu hyd un tro i fusnesa, ac yn ffyddiog y bydd O'n cofio'r ffordd.'

'Be ti'n feddwl, "twneli newydd"?' wfftiodd Wdull.

'Wel, rydan ni i gyd yn gwybod bod y Meidrolion yn hoff o drydan a wastad yn chwilio am ffyrdd newydd o'i gynhyrchu. Un o'r ffyrdd hynny ydi drwy ddefnyddio dŵr – ac yn ddwfn yng nghrombil hen chwarel ger yr Wyddfa mae Gorsaf Bŵer Hydro.'

'Mi wn i am y lle,' meddai Llwyd, a'r cyffro'n amlwg yn ei lais. 'Fe fuon ni'n ei astudio yn yr ysgol yn ddiweddar. Maen nhw wedi cloddio twneli yn y mynydd er mwyn cysylltu dau lyn – un llyn yn uchel ar ben y mynydd a'r llall yn isel ar waelod y dyffryn. Wrth i'r dŵr gael ei ollwng o'r llyn uchaf i'r llyn isaf, mae grym y dŵr yn syrthio yn troi generadur sy'n cynhyrchu trydan.'

'Ond pam mae hyn i gyd yn bwysig?' holodd Wdull yn ddryslyd.

'Mae O'n dod at hynny, Roli-Poli,' meddai Rhitw gan wgu'n flin arno. 'Tipyn o amynedd, os gwelwch yn dda! Am ryw reswm, yn ystod cyfnod adeiladu'r Orsaf Bŵer Hydro, fe gloddiwyd mwy o dwneli nag oedd eu hangen. Does neb yn gwybod pam. Ond dyna'r unig gyswllt sy 'na rhwng yr Hudfyd a'r Meidrolfyd. Felly, os ydi pawb yn hapus hefo'i gynllun, mae

O yn cynnig eich arwain yn ôl i'r Meidrolfyd ar hyd y twneli tanddaearol yma.'

'Rwyt ti'n seren, Rhitw! Be fydden ni'n ei wneud hebddot ti?' Gwenodd Arddun a phlannu sws ar foch y corrach bach. Cochodd hwnnw at fôn ei glustiau bach pigog.

'Reit 'ta, dilynwch O,' meddai'n hunanbwysig.

Roedd y criw'n falch o adael Dinas Emrys, a buont yn cerdded am filltiroedd dros fryniau a thrwy gaeau. Ymhen hir a hwyr, daethant at glwstwr o feini mawr wedi'u gosod mewn cylch perffaith.

'Ble ydan ni, Rhitw?' holodd Llwyd gan edrych o'i gwmpas yn ddryslyd.

'Hisht!' atebodd Rhitw gan godi'i fys at ei geg. 'Mae'n rhaid iddo FO feddwl yn galed er mwyn trio cofio'r ffordd.'

Bu Rhitw'n astudio'r map am amser hir cyn dechrau mwmial iddo'i hun. 'Dyma ni. Sefyll wrth y Maen Hir yn y canol a chymryd pum cam corrach i'r chwith. Yna saith cam corrach i'r dde, neidio i fyny ac i lawr, cyn troelli fel top ddwywaith gyda'r cloc.'

Syllodd pawb yn syn arno wrth iddo berfformio'r ddefod ryfedd hon.

'Dewch! Mae O wedi dod o hyd i'r agoriad i'r twneli!' gwaeddodd yn frwdfrydig.

Edrychodd pawb yn siomedig ar y clwt o laswellt o'u blaenau, a hwnnw wedi melynu yn yr haul.

'Ond does dim byd yna, Rhitw bach,' meddai Llwyd yn siomedig.

'A-ha! Peidiwch chi â chredu'r hyn a welwch ar yr olwg gyntaf, ffrindiau ffyddlon,' chwarddodd Rhitw gan dapio'i drwyn yn ddoeth. 'Dydi pethau ddim wastad fel maen nhw'n ymddangos.'

Ar hynny, syrthiodd ar ei bengliniau a dechrau ymbalfalu yn y gwair.

'Dyma hi!' meddai, ar ôl bod wrthi'n brysur am rai munudau. Yn ei law roedd dolen haearn gron. Dechreuodd rolio'r clwtyn o laswellt yn ei ôl fel darn o garped, gan ddatgelu trapddrws pren oddi tano.

'Hei, helpwch O!' meddai gan chwifio arnynt. A chyn pen dim roedd Llwyd, Arddun ac Wdull wedi llwyddo i agor y trapddrws. Arweiniai i ryw fath o siafft ddofn iawn yr olwg, gyda grisiau carreg yn arwain i lawr. Dringodd y pedwar i mewn gan gau'r trapddrws ar eu holau.

Gan fod y siafft yn dywyll fel bol buwch, awgrymodd Rhitw y dylai pawb ddal dwylo a ffurfio cadwyn cyn iddo eu harwain yn ddwfn i'r tywyllwch. Buont yn cerdded felly am rai oriau, heb syniad yn y byd i ble roedden nhw'n mynd. Ond roedd pawb yn ymddiried yn llwyr yn eu ffrind bach, Rhitw Bitw.

Yn araf, daeth pelydryn o olau gwan o rywle, a sylwodd pawb fod y twneli wedi'u hadeiladu o frics, nid o graig a phridd. Roedden nhw hefyd wedi'u peintio'n wyn ac roedd goleuadau bach wedi'u gosod hwnt ac yma yn y waliau. Ond roedd y criw wedi blino gormod erbyn hyn i gymryd llawer o sylw o'u hamgylchfyd.

Ymhen hir a hwyr, daethant at ddrws mawr dur gyda blwch côd wrth ei ymyl. Dechreuodd Rhitw Bitw deipio'r côd i mewn, ac agorodd y drws yn araf. Heb holi dim, cerddodd pawb ar ôl Rhitw Bitw i mewn i ogof fawr o ystafell, oedd wedi'i chloddio'n ddwfn yng nghrombil y mynydd. Roedd peiriannau mawr cymhleth yr olwg yn bipian ym mhobman, a gwefrau gwyrdd yn codi'n gopaon ar sgriniau'r monitorau o'u blaenau. Roedd y lle'n brysur tu hwnt, gyda dynion mewn siwtiau rwber gwyn yn symud o gwmpas y lle. Sylwodd Llwyd ar yr holl gewyll copr yn hongian o'r nenfwd, efo pobl yn syllu'n wag y tu mewn iddyn nhw. Yna, llamodd ei galon. Mewn un cawell, ychydig fetrau oddi wrthyn nhw, roedd ei ewythr Bedwyr. Syllai'n syth tuag atyn nhw, ond doedd dim arwydd ar ei wyneb ei fod wedi'u hadnabod. Roedd fel petai'n syllu'n syth drwyddyn nhw.

Dechreuodd Llwyd gamu tuag ato, ond taranodd llais dros y lle gan beri iddo sefyll yn ei unfan.

'Paid â meiddio symud modfedd!'

Yn y galeri uwch eu pennau, ymddangosodd dyn wedi'i wisgo o'i gorun i'w sawdl mewn siwt rwber wen. Cododd ei fwgwd i ddatgelu'i wyneb a gwenu'n faleisus arnynt.

'Jac Offa!' ebychodd Arddun.

Anwybyddodd Jac Offa hi, a throi ei sylw at Rhitw Bitw gan wenu.

'Da iawn ti, was ffyddlon. Rwyt ti wedi cyflawni dy waith yn wych yn eu harwain nhw yma. Rŵan, mae'r allwedd aur yn eiddo i ni, a dinistr y byd yn ein dwylo. Ha, ha, ha!' chwarddodd yn gras. 'Mae Gedon Ddu yn dy ganmol, a bydd dy wobr yn FAWR. Gwireddir dy ddymuniad i gael dy droi'n gawr fel y gelli ddilyn yn ôl traed dy berthynas, Rhita Gawr.'

Yna cyfeiriodd ei sylw'n ôl at Llwyd ac Arddun, a safai fel delwau yn methu'n lân â chredu'u clustiau. 'Y cyfan sydd ar ôl i'w wneud rŵan ydi eich gyrru chi o'ch cof!' cyhoeddodd.

Cliciodd ei fysedd yn awdurdodol. 'Chwalwyr, cipiwch nhw!' bloeddiodd.

21

Y Senedd

Wrth i'r Chwalwyr gau amdanyn nhw, saethodd Arddun ei dicter at Rhitw Bitw.

'Y bradwr bach! Sut allet ti neud hyn i ni?' llefodd.

'Wnes i 'rioed ei drystio,' ychwanegodd Wdull gan dynnu'i gragen er mwyn gallu'i defnyddio fel tarian yn erbyn y Chwalwyr.

Gwyrai Rhitw Bitw ei ben. Ni allai edrych arnyn nhw. Teimlai mor euog.

'Doedd ganddo FO ddim dewis,' sibrydodd yn hunandosturiol. 'Dyma oedd ei gyfle olaf O i wireddu'i freuddwyd o gael bod yn gawr.'

Teimlai Llwyd yn rhy siomedig i ddweud dim. Roedd geiriau Rhitw Bitw ychydig oriau ynghynt yn dal i droelli yn ei ben. *Peidiwch chi â chredu'r hyn a welwch ar yr olwg gyntaf, ffrindiau ffyddlon.* Hy! Ychydig a wyddai'r un ohonynt mai sôn amdano FO ei hun roedd y corrach bach, ac mai ei fwriad o'r cychwyn cyntaf oedd eu twyllo a'u harwain yma i ffau'r llewod – i grafangau Jac Offa a Gedon Ddu.

Llifodd ton o anobaith dros Llwyd. Pa obaith oedd ganddyn nhw o achub Cymru rŵan? Roedd y Chwalwyr ar fin dinistrio cof pob un ohonyn nhw. Doedd dim ffordd o ddianc o'u crafangau . . .

Yn sydyn, teimlodd yr allwedd aur yn tyrchu'n ddwfn i gledr ei law, fel petai'n ceisio'i atgoffa ei bod yn dal yno. Dechreuodd Llwyd feddwl am eiriau doeth y Brenin Arthur. *Chi ydi dyfodol Cymru, fy mhlant . . . chi, y bobl ifanc ddewr sy'n barod i wynebu pob perygl er mwyn sicrhau parhad yr hen wlad. Chi ydi'r allwedd i ddyfodol Cymru.*

Dechreuodd yr adrenalin bwmpio drwy'i wythiennau, gan ei lenwi â hyder newydd. Wedi'r cyfan, roedden nhw wedi llwyddo i ddod cyn belled â hyn, a doedd ganddo ddim bwriad ildio rŵan! Roedd ei wlad yn dibynnu arno.

'Rhedwch!' gwaeddodd, gan ruthro fel tarw gwyllt i ganol y Chwalwyr. Ymatebodd Arddun ac Wdull i'w alwad, er nad oedd ganddyn nhw syniad i ble roedd am iddyn nhw fynd! Roedd pob drws ar glo yn yr ogof o ystafell.

Yn sydyn, llanwyd y lle â sŵn rhuthr gwyllt dŵr yn syrthio o uchder mawr. Roedd dŵr o'r llyn ar dop y mynydd yn syrthio i lawr peipen wydr anferth yng nghanol yr ystafell i'r llyn islaw, er mwyn troi'r tyrbin a'r generadur i gynhyrchu'r trydan. Roedd y sŵn yn fyddarol wrth i filoedd o alwyni o ddŵr syrthio fel petai tap anferth newydd gael ei agor.

'Neidiwch i mewn i'r beipen!' gwichiodd llais bach o ben arall yr ystafell. Ond boddwyd ei eiriau gan sŵn byddarol y dŵr.

'Neidiwch! Peipen! RŴAN!' Daeth y llais eto, y tro hwn yn llawer iawn uwch. Rhywsut, roedd Rhitw Bitw wedi llwyddo i ddod o hyd i uchelseinydd i chwyddo'i lais, ac roedd yn gwneud ei orau glas i'w helpu i ddianc.

'Ond sut? Mae'r beipen yn gaeëdig – does dim modd mynd i mewn iddi!' gwaeddodd Llwyd. Ac wrth iddo yngan y geiriau, daeth fflach o goch y tu mewn i'r beipen. Y Torgoch oedd yno, yn nofio yn erbyn y llif. Defnyddiodd y pysgodyn hynafol ei gynffon nerthol i chwalu'r beipen, a hyrddiwyd cymysgedd o ddŵr a gwydr i bob cornel o'r ystafell. Ni welodd Llwyd be ddigwyddodd nesaf. Teimlodd ei hun yn cael ei sugno'n ddyfnach ac yn ddyfnach, fel dŵr yn diflannu i lawr twll plwg. Caeodd ei lygaid yn dynn a gweddïo am y gorau.

✦ ✦ ✦

Pan fentrodd agor ei lygaid o'r diwedd, roedd yn arnofio mewn llyn tawel, llonydd. Doedd o heb gael ei anafu, ac roedd yr allwedd aur yn dal yn ddiogel yn ei law. Gwelodd Arddun Gwen ac Wdull yn crafangu i'r lan ychydig bellter oddi wrtho, a gollyngodd ochenaid o ryddhad.

'Hei, gafaela yn hon,' gwaeddodd Arddun wrth i Wdull a hithau estyn cangen drwchus iddo i'w dynnu tuag atynt. Eisteddodd y tri'n llipa ar y cerrig mân, a phob diferyn o egni wedi'i wasgu o'u cyrff.

'Ble ydan ni?' holodd Llwyd o'r diwedd.

'Mae'r lle'n edrych yn gyfarwydd rhywsut,' atebodd Arddun yn gysglyd, cyn codi'n sydyn ar ei heistedd. 'Yn gyfarwydd iawn, a dweud y gwir!' ychwanegodd gan neidio ar ei thraed, yn llawn egni unwaith eto. 'Sbia draw fan'cw . . . yli . . . y Llwybr Igam Ogam. A dacw hi, reit gyferbyn â ni . . . Brenhines yr Wyddfa. Iŵ-hŵ! Eich Mawrhydi!'

Edrychodd y tri ar y pen merch a gerfiwyd i'r mynydd, yn edrych yn falch dros ei thiriogaeth.

Ond doedd dim siw na miw i'w glywed gan y Frenhines chwim ei thafod heddiw. Syllodd Llwyd yn uwch, tuag at gopa'r mynydd, a thrwy'r cymylau duon oedd yn crynhoi o'i gwmpas gallai weld canolfan Hafod Eryri yn disgleirio. Gwnaeth hyn iddo feddwl am Rhitw Bitw, a dechreuodd deimlo'n drist eto wrth feddwl am y tro sâl roedd y corrach wedi'i wneud â nhw.

Fflach! Holltodd mellten ar draws ei fyfyrdod. Unwaith eto, roedd y wlad yng nghrafangau un o stormydd trydanol Gedon Ddu. Roedd ei fygythiad mor gryf ag erioed, felly. Roedd yn rhaid iddyn nhw gwblhau rhan olaf eu tasg, a chyrraedd y Senedd hefo'r allwedd aur, neu byddai pethau'n edrych yn ddu iawn ar Gymru, heb sôn am weddill y byd.

Dargludwyd mellten arall at rywbeth disglair yn y coed. Rhedodd y tri tuag at y safle, ac yno'n gwingo i geisio dianc o'i gawell copr roedd Ewythr Bedwyr. Mae'n rhaid ei fod wedi cael ei gario yn ei gawell efo'r llif pan ruthrodd y dŵr nerthol drwy'r ogof o ystafell.

'Peidiwch â sefyll yn gegrwth yn fanna, fel petaech chi'n trio dal pryfed! Helpwch fi i ddod allan o'r hen gawell 'ma!' chwyrnodd.

Gwenodd Llwyd. Hwrê! Roedd yr hen Ewythr Bedwyr yn ei ôl, ac mor grintachlyd ag erioed!

Tynnodd Wdull ei gragen a'i defnyddio i wasgu rhwng y bariau, gan eu hymestyn fel bod digon o le i Ewythr Bedwyr gamu'n rhydd rhyngddynt.

'Diolch i ti'r hen foi!' meddai Bedwyr wrth y pryfddyn cyn troi at y ddau arall a difrifoli. 'Rydych chi'ch dau wedi bod yn ddewr iawn ac wedi goroesi peryglon mawr. Ond rhaid peidio ag anghofio mai chi oedd y ddau gafodd eu dewis i achub Cymru. Rŵan 'ta, ydi'r allwedd aur gen ti, Llwyd?'

'Yndi, dyma hi,' meddai Llwyd yn falch gan ddangos y trysor gwerthfawr yn ei law.

Sgleiniodd adlewyrchiad yr aur yn llygaid yr hen ŵr wrth iddo syllu ar yr allwedd, yn llawn edmygedd a pharch. 'Reit, dowch; does dim eiliad i'w cholli,' meddai Ewythr Bedwyr wrth i fflach drydanol arall oleuo'r lle.

Cliciodd ei fysedd ac ymddangosodd y Torgoch ffyddlon yn y llyn unwaith eto. Camodd Ewythr Bedwyr, Llwyd ac Arddun ar ei gefn, ond arhosodd Wdull ar y lan.

'Ty'd, Wdull,' amneidiodd Llwyd arno.

'Na, fy ffrindiau. Dyma ddiwedd y daith i mi,'

atebodd y pryfddyn yn dawel. 'Mae'n rhaid i mi fynd yn ôl i Gegin Arthur at Heti Hylldrem a'm milwyr. Mae fy ngwaith i yma ar ben. Pob lwc.'

Ac ar hynny, trodd ei hun yn bryf lludw bychan a sgytlian o'r golwg dan garreg fawr.

'Diolch, Wdull . . . am bopeth!' gwaeddodd Llwyd ar ei ôl. Ond gwyddai ym mêr ei esgyrn y byddai'n siŵr o weld ei ffrind eto.

'Pawb yn barod?' sgrechiodd Arddun, cyn rhoi cic ysgafn i ystlys y Torgoch. 'Wiiiiii! I ffwrdd â ni!'

Ac wrth i fellten arall oleuo wyneb y llyn, plymiodd y Torgoch i'r dyfnderoedd a chario'i gargo gwerthfawr yr holl ffordd i'r Senedd yn y Bae.

✦ ✦ ✦

Yno, roedd rhywun yn aros yn eiddgar amdanyn nhw.

'Mam!' bloeddiodd Arddun wrth gamu oddi ar gefn y Torgoch.

'O, Arddun fach, dwi mor falch o'th weld di'n ôl yn saff,' llefodd Gwen Jones wrth gofleidio'i merch a'r dagrau'n cronni yn ei llygaid. 'Dwi wedi bod yn poeni f'enaid amdanat ti, cariad!'

'O! Mam, wnewch chi byth goelio be sy wedi digwydd i ni,' meddai Arddun, a'i llygaid yn disgleirio.

'Mae gen i syniad go lew,' atebodd ei mam yn dyner, gan edrych yn wybodus ar Bedwyr. 'Rwyt ti a Llwyd wedi bod ar daith i Afallon, yn chwilio am y Brenin Arthur ac yn cyrchu'r allwedd aur,' ychwanegodd.

'Be . . ? Sut . . ?' baglodd Arddun, gan syllu'n syn ar ei mam.

'Pan ddywedodd Nanw dy fod wedi diflannu o'r ystafell wely, ro'n i'n gwybod dy fod ti wedi derbyn yr alwad. A'r cyfan allwn i neud oedd croesi fy mysedd y byddet ti'n dod yn ôl ata i'n ddiogel.'

'Dwi ddim yn deall . . .' meddai Arddun gan grychu'i thalcen mewn penbleth. Roedd hi'n hanner meddwl bod ei mam yn dechrau drysu – bod Gedon Ddu wedi llwyddo i chwalu ei chof hithau.

Penderfynodd Bedwyr y dylai esbonio pethau wrth Arddun a Llwyd.

'Arddun, mae dy fam yn perthyn o bell i Gwenhwyfar, gwraig y Brenin Arthur,' esboniodd yn dawel. 'Ac mae'r llyfrau hud yn dweud y byddai perthynas i'r Frenhines Gwenhwyfar, rhyw ddydd, yn cael ei dewis i achub Cymru, petai'r angen yn codi. A ti, Arddun Gwen ydi honno.'

Eisteddodd Arddun ar wal isel o flaen y Senedd, a'i choesau'n hongian yn llipa uwchben dŵr y Bae. Dros y dyddiau diwethaf roedd Llwyd a hithau wedi profi pob math o anturiaethau gwallgo ac wedi dod ar draws sawl creadur od. Ond roedd yr hyn roedd hi newydd ei glywed yn anodd iawn ei gredu.

'Dwi'n perthyn i'r Frenhines Gwenhwyfar?' holodd yn ansicr.

'Wyt, cariad,' atebodd ei mam yn nerfus.

'A be am Llwyd? Pam gafodd o ei ddewis?'

'Am fod gwaed y Brenin Arthur yn llifo drwy'i wythiennau,' atebodd Bedwyr. 'Mae hynny'n esbonio pam y llwyddodd i dynnu'r cleddyf Caledfwlch o'r maen mor rhwydd wrth ymladd yn erbyn y dreigiau. Arthur ydi'r unig un arall mewn hanes sy wedi llwyddo i wneud hynny, ac oherwydd y weithred honno y cafodd ei wneud yn Frenin.'

Ond cyn i'r ddau blentyn gael cyfle i holi ymhellach, gafaelodd Gwen Jones yn llaw ei merch a'i thynnu ar ei thraed.

'Dowch, mi gawn ni drafod hyn eto. Mae'n

rhaid i ni osod yr allwedd aur o dan y Senedd, cyn y bydd hi'n rhy hwyr. Dilynwch fi.'

Arweiniodd Gwen Jones nhw i mewn i'r Senedd, a thrwy ddrysau'r galeri. Gwnaeth yn siŵr nad oedd neb o gwmpas cyn dechrau curo ar y paneli pren mewn un ardal benodol o'r ystafell gylchog. Llithrodd rhai o'r paneli'n ôl gan ddatgelu grisiau'n arwain i lawr i'r tywyllwch. Camodd y criw i mewn, a llithrodd y drws ynghau y tu ôl iddyn nhw. Cerddodd pawb yn ofalus i lawr y grisiau llechen troellog nes eu bod yn ddwfn o dan y Senedd.

Wrth droed y grisiau, roedd clamp o siambr fawr olau. Yn y canol roedd sgwâr solet o lechfaen gyda gwythiennau piws a gwyrddlas yn nadreddu drwyddo.

'Sbiwch,' ebychodd Llwyd wrth ruthro at y llechen. 'Mae 'na siâp allwedd wedi'i naddu i mewn i'r llechen.'

'Rho'r allwedd i mewn i weld a ydi'n ffitio,' awgrymodd Arddun mewn llais llawn cyffro.

Daliodd pawb eu gwynt wrth i Llwyd roi'r allwedd aur i orwedd yn ei phriod le. Roedd yn ffitio fel maneg.

'Be sy i fod i ddigwydd rŵan?' holodd Arddun

gan astudio wynebau ei mam ac Ewythr Bedwyr yn ofalus.

'Amynedd, Arddun,' rhybuddiodd ei mam hi gan wenu.

'Sbiwch!' ebychodd Llwyd.

Dechreuodd aur yr allwedd fflamio'n lliw oren llachar, fel petai ar dân. Symudodd, gan suddo'n araf i mewn i ddarn o lechfaen â'r lliw piws yn tonni drosto. O fewn ychydig eiliadau roedd yr allwedd wedi diflannu. Yna, fel petai rhywun anweledig wedi codi sgrifellbin, a dechrau ysgrifennu â hi, dechreuodd y geiriau hyn ymddangos ar wyneb llyfn y llechen:

Dyma'r allwedd i'm calon
A ddaeth o diroedd Afallon.
Diolch i ddau sy'n Gymry i'r carn,
Fy nyfodol sydd yn gadarn.

22

Diwedd y Daith

Crafangodd ffigur unig allan o'r gors. Edrychai fel gwlithen anferth wedi'i orchuddio o'i gorun i'w sawdl mewn mwd du, drewllyd. Dim ond darnau o'i siwt wen rwber oedd yn y golwg. Edrychai'n druenus iawn.

Ond y tu mewn i'r siwt wen roedd Jac Offa, Prif Weinidog Prydain, yn berwi o gynddaredd.

Sut digwyddodd hyn? Sut y caniataodd i ddau blentyn ddinistrio popeth? Roedd pethau'n mynd mor dda; roedd mwy a mwy o ffyrdd uwchddaearol yn cael eu hadeiladu fel bod pobl yn gallu osgoi Cymru. Roedd y Chwalwyr wedi llwyddo i glirio'r wlad o'r rhan fwyaf o'i hathrawon, ei hawduron a'i gwleidyddion, fel na fyddai dyfodol i'w hiaith a'i diwylliant. Ac roedd grymoedd goruwchnaturiol ei feistr yn rheoli'r tywydd gan sicrhau nad oedd hi byth yn dywydd braf yng Nghymru.

Wrth feddwl am ei feistr, aeth ias i lawr ei feingefn. Gwyddai Jac Offa fod Gedon Ddu yn gandryll ei fod wedi methu yn ei ymdrech i feddiannu'r Meidrolfyd a'r Hudfyd. Ond unwaith y llifodd y dŵr i mewn i'r ystafell a golchi dros y peiriannau trydan, pylodd pŵer Gedon Ddu. Diffoddodd y trydan, a doedd dim ar ôl bellach i gadw'i rymoedd dieflig yn fyw.

Wrth dynnu ei hun o'r gors, teimlodd Jac Offa belydrau tanbaid yr haul yn anwesu ei wyneb. Roedd y glaw, y llifogydd a'r stormydd trydanol wedi clirio.

Ochneidiodd Jac Offa yn ddwfn.

Roedd hyn yn arwydd clir fod y ddau blentyn wedi llwyddo. Roedd ganddo deimlad ym mêr ei esgyrn fod yr allwedd aur yn ei lle o dan y Senedd. A thra y bod hynny'n ffaith, ni allai hyd yn oed grym Gedon Ddu wrthsefyll ei phŵer. Roedd yr allwedd yn symbol o ffydd, o wladgarwch ac o gariad pobl tuag at eu gwlad. Roedd yn ddigon nerthol i ddymchwel pob drygioni.

Ond gwyddai Jac Offa y deuai cyfle eto.

Rhyw ddydd, byddai cyfle arall i atgyfodi Gedon Ddu a rhoi cynnig eto ar ddinistrio'r holl fyd. Tan hynny, roedd yn rhaid iddo fod yn amyneddgar.

Clywodd sŵn grwnian isel injan yn dod tuag ato. Agorodd y drws yn awtomatig a chamodd Jac Offa i mewn i grombil y car trydanol.

A diflannu.

+ + +

Agorodd Llwyd Cadwaladr ei lygaid led y pen. Roedd yn gorwedd yn ei wely yn ei ystafell ei hun, a phopeth yn edrych yn union fel roedden nhw y noson honno pan gafodd ei arwain i waelod yr ardd gan Wdull a'i filwyr. Neidiodd o'i wely ac agor y llenni er mwyn edrych drwy'r ffenestr. Yno, yng ngwaelod yr ardd, doedd dim byd i'w weld heblaw anialwch o fieri, a llwyni wedi tyfu'n flêr. Trodd Llwyd ar ei sawdl i fynd yn ôl i'w wely. Roedd hi'n rhy gynnar i godi eto, ac roedd ganddo lawer o bethau i feddwl amdanyn nhw.

Tybed ai wedi breuddwydio'r cyfan oedd o?

Cododd un droed i osgoi pryf lludw unig oedd yn sgytlian ar hyd y llawr. Rholiodd y pryfyn yn belen fach i'w amddiffyn ei hun.

Tybed . . ? meddyliodd Llwyd.

'Bore da, Llwyd, rwyt ti wedi codi'n gynnar,' meddai Ewythr Bedwyr yn llon gan edrych i mewn i'r ystafell.

Rhyfedd, meddyliodd Llwyd. Doedd Ewythr Bedwyr erioed wedi dod i'w ystafell wely i'w ddeffro o'r blaen. Ac roedd o hyd yn oed yn gwenu'n glên!

'Mae gen i newyddion da i ti. Fydd 'na ddim mwy o ffyrdd osgoi uwchddaearol yn cael eu hadeiladu o hyn ymlaen. Felly, fydd yr awdurdodau ddim yn ein gorfodi i adael Porth Afallon a symud i'r marina yn y dre. Fyddan nhw ddim yn dymchwel yr hen dŷ 'ma, chwaith,' meddai'n llawn cyffro.

'Ond be am Jac Offa?' mentrodd Llwyd holi.

'Wel, yn rhyfedd iawn, roedd cyhoeddiad ar y newyddion y bora 'ma ei fod o wedi diflannu. Does neb wedi'i weld ers dyddiau, ac mae'n debyg y bydd yn cael ei ddiswyddo fel Prif Weinidog.'

'A be am y ffynnon?'

'Pa ffynnon?'

'Ffynnon Cegin Arthur yng ngwaelod yr ardd, siŵr iawn – honno sy'n arwain i Gegin Arthur lle mae Heti Hylldrem ac Wdull a'i filwyr yn byw,' parablodd Llwyd. 'Y ffynnon ydi'r unig borth i Afallon, rhag ofn y bydd angen i ni alw ar y Brenin Arthur eto i achub Cymru.'

Chwarddodd Ewythr Bedwyr yn harti. 'Wel,

mae gen ti ddychymyg byw iawn,' meddai'n addfwyn. 'Rwyt ti'n amlwg yn darllen gormod o'r hen lyfrau ffantasi 'na. 'Chlywes i erioed y ffasiwn beth! Rŵan, be am i ti folchi a gwisgo, ac mi wna i frecwast i ni'n dau. A dim o'r hen bowdrbrydau gwirion 'na chwaith – llond bol o facwn ac wy go iawn fydd hi heddiw!'

Ond wrth iddo gau'r drws, gallai Llwyd daeru bod Ewythr Bedwyr yn wincio'n slei arno. Teimlodd hefyd rywbeth caled yng nghledr ei law.

Ebychodd mewn syndod.

Yno, yn sgleinio fel ceiniog newydd sbon danlli, roedd darn o gen coch y Torgoch hynafol . . .